区亀有公園前派出所⑭

秋本　治

集英社文庫

※本文中に出てくる数々のデータ、数字等はコミックス掲載時のものです。

こちら葛飾区亀有公園前派出所⑭

目次

五輪男・日暮再登場の巻

いよいよ
今日から
ロサンゼルス
オリンピックが
開催され
ました
My Cha

ニッポン選手団の
入場です
次は
ジャガイモに
目 鼻のこいつ
そして穴場は
この女!
うまくいけば
大きい!
つまり
金2個
銅2個…いや
まてよ!
うーむ……

陸上では
こいつが
まあ 本命
だろうな
二重マル!
コンディション
も十分
だからな

カランカラン

やばい! 鬼がご帰還だ!

これはこれは部長殿早かったですね!
会議が早目に終わってな!

お忙しくて大変ですね
おまえが問題をおこすからな!

いやあまいったなははは

そういえば今日からオリンピックだったな
ニッポンがんばれ!!
そのようですね!
今日の会議ででたがオリンピックで賭博をやってる連中がいるらしい
とんでもない連中ですよそりゃ!
神聖なスポーツを種目別にわけて金銀銅の数をあてて配当をもらうなどという事は許せん行為です!
ずい分くわしいじゃないか?おまえ
いや!単なる推理ですよ!
私オリンピックはあまり興味なくて!
そのわりにテレビでしっかりみてるな
おやオリンピックといえば…
えーと4年前に何か……
あっ
そうだっあいつだ!

三波春夫の五輪音頭!

ちがうだろ日暮だろ!
そうだ日暮だ!

日暮は4年前に出勤してきたっきり全然 姿をみてないからな!
まだ 寝てるんですよ4年間!放っといたら死ぬまで眠りつづけるやつですからね!

日暮をつれてこい両津!
えっ あいつを!

ソウルオリンピックまで寝かしといた方が いいんじゃないですか?
いいからおこしてこい!

15

えーと
たしか
404号
だったな

まてよ
この寮は
今年
ぶっこわして
新しくした
はずだぞ!
あいつ
どう
なったんだ
?

ぐあん

この一画だけ元のままだ
この中でずっと眠りつづけてたのか……

おい日暮！起きろ！
4年たったぞおい！

なんと！これは…
ドアが錆ついて完全にふさがってしまった！

この壁ぶち破ったらくずれて生き埋めになりそうだな……
どうかしたんですか？

管理人のバアさんのところからガスバーナー借りてこい
え!?
早くしろ！

この部屋に何かあるのか？
LP
死体があるらしい!!

ふう
これで
あくだろ
ガッ
バリッ
おっ
開いた!?
うっ
カビくさい
すごい!
みせ物じゃ
ねえ!
あっち
いってろ!
ガチャ
キノコが
あるぞ!
真っ暗で
全然
みえないな
ゴゴ
また 一段と
すごい
部屋に
なったな!
富士の
樹海より
ひどいぞ
こりゃ!

電灯はどこだ!?
天井はコウモリだらけだ
これか?
ボロ
ボロ
ヒモがくさってるよ

パチッ
バサ
バサ
バサ
バサ
カサ
カサ
カサ
カサ

おい 日暮どこにうまっているんだ?
返事をしろおい!
ふとんはあるが本人はいないぞ!
本当に風化しちまったんじゃねえのか?

なんだ こりゃ!?
畳が くさって 陥没 しとるぞ
そうか 畳の 中だ!
いたっ 日暮だ!
おい 目を さませ! こら!
このままじゃ 畳と いっしょに 堆肥に なっちまうぞ
ズルズルズル
むにゃ むにゃ だ～れ?
やあ 両さんじゃ ないか
やあじゃ ないよ まったく!
しっかり おきろよ よいしょ!
ズズズ…
自分の力で 立てんのか おい!
寝おきは 体力が なくて……

テレビでもみて 目をさまそうよ
わかったよ!
ドバ
うわっ
ドシャ
せっかく今 ブームの漫才をみようと思ったのに………
ブームはすでに終わった!
ウソだよ今 ザ・ボンチの歌が大ヒットじゃないか!
それは4年前の話今は消えた!

あーあこわしちゃった
ばかやろう! もう 一歩で直撃くらうところだぞ!

回転の早い芸能界でヒットを続けてるのは松田聖子くらいなもんだ
ああパンチガールの松田 聖子!

あの3人娘は好きだな! 聖子 順子 裕子でしょう! ラジオでいつも聞いてるよ
もう会話がいつも4年前になるんだから……

おまえは
4年間
寝てたんだよ
えっ!?
今
昭和55年
じゃないの

そうかあ…
いったん 寝ると
おきるのが
面倒になる
体質だから
なあ……
部長が
出勤して
こいって
いってたぞ!

わかった
よ……
ちょっと
まって…
ドドッ

朝食を
とるから…
ゴロッ
ゴロゴロ

この辺に
牛乳を
おいといたん
だけど……

あっ
チーズに
なってる
まあ
いいや
口に入れば
なんでも!

おまえ
体こわすぞ
そんなもん
たべると!
防腐剤や
加工してる
物より
安心だよ
天然だからね
うん
うまい!

たべおわったらいくぞ!
あっ服を着ないと…
そこにおいて!
こうか…
ピタッ
ゴロ
ゴロ
よいしょっ
よいしょっ
いこう!おこしてくれ!
なんて横着なやつなんだ
立ちあがるのが面倒でね!
ちゃんと歩けよこら!
おやっ寮がいつの間にか新しくなってる!
工事してたの全然気がつかなかったのか?

ドカ

大丈夫か おい！
俺の部屋 一階じゃ なかったっけ？

4階だよ！ 4年前も 階段で おちたろ！
そうか！ まだ 寝不足で 頭がボーッと してるからな

思い出した 俺 オートバイ 買ったんだ オートバイで 通勤しよう
そう 一本調子で しゃべるなよ 気味悪いな

あれ？ 自転車 買ったのかな？ わかんなく なっちゃった
おまえ しっかり しろよ！

あった！ やっぱり オートバイ だ……
あっ

CB400Fの 新品かよ ‼

買ってから一度も乗ってないんだ面倒で！
マニアに売った方がいいんじゃねえのか！
やったエンジンかかった！いくよ
キュル！
ドルルル
ドドルルルルッ
気をつけて運転しろよ！
ドドド
ドドン
よく考えたら俺免許なかったんだ……
新車を3秒でスクラップにしやがってバカかおまえ！
けっきょく歩きか…かったるいなあ……
おまえのせいだろ！

レンタルビデオ
よっちゃん
あれーっ ここ立ち食いそば屋じゃなかったか?
そりゃ昔の話だ!
そば屋がつぶれてゲームセンターになって……
さらに つぶれコインランドリーになり……
つぶれて貸しレコード屋になって……
つぶれてレンタルビデオ屋になったんだ

SOBA
ビストロ・シルブプレ
世の中めまぐるしく変化していくんだな
変化しないのはおまえだけだ!

部長 日暮をつれてきました!
ご苦労!
どうも長い間ごぶさたしました
まったくだ!

4年たっても相かわらず巡査部長ですね
よけいなお世話だ!

4年ぶりに歩いたので疲れた…
ガタ

ゴオオ…
こらっ
寝るんじゃない!

おいおきろ!
超能力をみせるんだ!

今日は調子が悪くてだめだ
ばかいうな!
おまえにその力があるからクビにならずにすんでるんだぞ!

火山が爆発する!!
なんだと!
噴火がおきる!

1983年10月に三宅島が噴火する
急げ!10月に三宅島が…ん!?

それは去年おきたんだよ!!
俺はおぼえてないよ!

今度は念写だ！
やってみろ！

調子悪いんだけどな
えいっ

あれ!?
何がうつったんだ！

俺がうつってる！

奥で少し休ませてきます
そうだな…

日暮さんまだ不調ですね
寝おきはいつもああだよ

えっオリンピックの金メダリストを予想するわけ
しっでかい声だすな頼むよあててくれ！

★週刊少年ジャンプ1984年36号

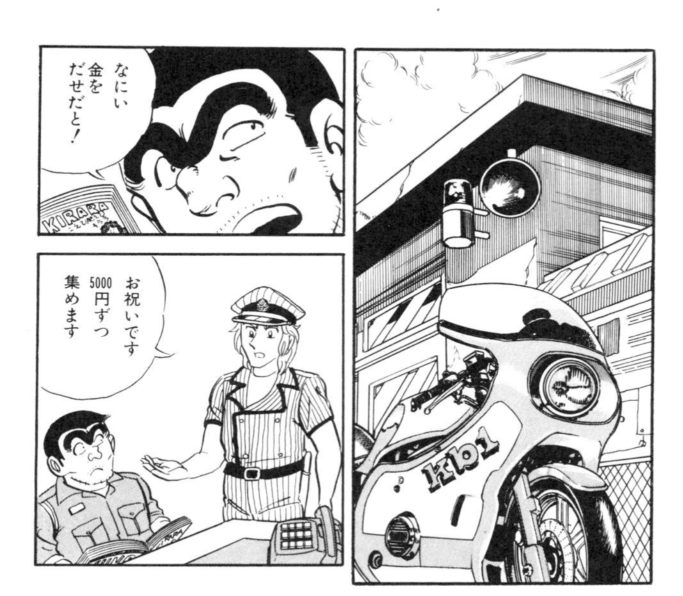

いないいないバアの巻

祝いだァ
なんの
祝いだよ
先日
部長の
お孫さんが
生まれた
でしょう
しかし なんで
部長の孫に
5000円も
やらなきゃ
ならないんだよ
孫？
そんな事
あったのか
？
部長が
すごく
喜んでたじゃ
ないですか！
まったく
なんにも
気づかないん
だから！
おめでたい
事だから
お祝いを
あげるのは
当然でしょう！

それが日本人の悪い風習なのだ！
じつにいかん!!
中元 御歳暮 冠婚葬祭と日本人は何かと物をあげすぎる
なんでも物ですまし心の交流を軽視する悪しき風習はなくさんとだめだ！
しかしお祝いはやはり…
黙れ！黙れ！わしから5000円もとろうなんて許さんぞ！
だいたい部長の孫なんかにだな……！
ぶっちょーっ!!
お孫さんおめでとうございます!!
ドドドッ
ダッ
きゃあーーっ
しっていたのか!!
そりゃあもう〜〜っあたり前じゃないですか!!
無事ご出産なされてよかった！心配していたんですよっ本当に!!
ほうそうか！

ご出産なされた日ほら！あの日！えーと
8月10日の日か!?

そう！8月10日！
その日！私 香取神社にお百度参りをしたんです ぜひ いい子を授かりますようにと！
なに!?

毎日 病院に電話して一日千秋の思いでお祈りしてました！
祈りが通じてよかったなァううう
そうか心配かけたな

私事だから黙ってようと思ってたんだが……
何をいうんです 私 ひと目ですぐ わかりましたよ！ははは

せっかくみんなのお祝いで部長をおどろかそうと思ってたのにひどいなあ
ちょっとこらしめてくるわ
両ちゃん お孫さん六ツ子よ しってた？
も もちろんさ しってるとも

しかし 部長も大変ですね いきなり6人もお孫さんができると！
なんだと!?

えっ？
六ツ子でしょ
おそ松くん
みたいに
おそ松
チョロ松って…
6人!?
ひとり
だよ！
し
しかし
麗子が…
あっ！

おまえ
たちの悪い
ジョークを
いうじゃ
ないか！
ズリイ
いや！
その…
私の思い
ちがいでして
あの…

そのお孫さん
部長に
そっくり
でしょ！
デレ

目元が
おじいちゃん似
ですねと
婦長さんに
いわれて
しまってなあ
いやあーっ
にくいね！
この
後家殺し!!

今度 ぜひ
部長の
お孫さんの
お顔を 拝見
させてください
そうか！
じゃ
いっしょに
娘の家に
いくか!?

だれが
後家
殺しだ！
いやっ
ことばの
あや！
気にしないで
ください！

わしひとりだと どうも気を使ってな
そういう時は私を ぜひご利用ください

さて仕事にうつるか?

なんだこの書類は……?
報告書

こんな物署にだせるかだれがかいた!!
先輩ですけど…

おい両津! ちょっとこい!

目元が部長そっくりなんですってねえ
いやあ そうなんじゃよ
テレ

つい お孫さんの事が 気にかかりきたない字でかいてしまってすみません!
そ そうかね! これから気をつけなさい!

中川(なかがわ)部長の祝いの金は集まってるか………
先輩以外は集まってますよ
わしもだしてやるから明日までに何か買ってこい
先輩がもっていくんですか?

え!? 500円!?
わしはおまえらの上司だぞそれでも多いくらいだ

いいか!大きくて高級そうな物買ってこい!連名でわしの名を目立つようにかけよ!
はいはい!

日下商店

げ屋
雨印牛乳

遅いな! もう 20分も すぎてると いうのに!
亀有駅行

部長 どうも おまたせ!
遅いぞ!!

時間に ルーズな やつは 何事も……
はい これ お孫さん に!

なに 孫にか!
デレッ
そう! お孫さんに お祝い!

目元が 部長に そっくり なんですって ねえ!
ははは みんな そう いうんじゃよ

お孫さんに 何が いいかなと 迷っていて 遅れまして!
そうか! そりゃ 仕方ない!
ブロロロロ

かに

まったく
近ごろの
若いやつと
きたら!
お孫さんに
祝いを　やろうと
いったら
それは　日本の
悪い風習だなんて
中川や麗子が
いいましてね!
わたしゃ　思わず
しかりつけて
やりましたよ!
日本人なら
日本の伝統を守れ!
バカ者とね
うむ
なるほど!
義理を
かかしちゃ
いけねえ!
ましてや
日頃　世話に
なってる
部長さんの
初孫さんじゃ
ねえか!と
さとしました
いやあ
ははは
まったく
世間しらずの
弱輩どもが
小りくつを並べ
浮世の義理てえ
もんを　全然
わかっちゃいねえ
まあ
若い者だから
仕方あるまい
今後　また
人の道に
はずれる事を
いいやがったら
ビンタの
2~3発でも
……
おいおい
おちつけ!

ん!?
しまった!
今のバス停
すぎて
しまった!!
え!?

おい！もどれ！今のところで降りるぞ！
えーっそんな事いわれても！
とにかくバックするんだ！
あっ!?
ひゃあーーっ
うわっ
やればできるじゃないかきみ！
なんて事を！
もどってくれたのか!?
人のいい運転手で助かりました

そうそう
このマンション
だっけ!

また ガツガツ
物くうんじゃ
ないぞ!
わかって
ますよ

507

ピーンポーン
お義父さん
じゃないか?
いいわ
わたしが
でる!

まってたわよ!
いやぁたびたびお邪魔してすまんね
どうもこんちは
両津のバカが子どもみたいに孫の顔を見たいというものでなははは
どうぞあがって!
お義父さんこんにちは!
今日は休みかね!
よう青年! 久しぶり
あっいらっしゃい
これ派出所の連中からお前たちにもらった
まあ!
気を遣っていただいてすみません
赤ちゃんがうまれたって聞いたもんでねお祝いにと思いまして!

祝
中川
麗子
寺井
戸塚
本田
一同

あいつら～っ帰ったらぶっとばしてやる!
どうぞ! 赤ちゃんはこちらです

じゃさっそく
ちょっとまて!

ちゃんとせっけんで手を洗うんだ!
うるさいなもう!

あまりさわるなよ赤ん坊は敏感なんだからな
わかってますよ

しゃべってもいかん! つばが とんで病気にでもなったら大変だ!
人をバイキンみたいに!

おっいたいた!

なんだ
こりゃ
猿みてえ
だな……
こんな
顔で
似てるも
似てないも
ないもんだ

どうだ
目元が
わしに
似てるだろ
本当に
うりふたつ
!
まるで
部長を
縮めたよう
ですね!

目は
英男さんに
似てると
思わない?
そう!
だんな
さんに
うりふたつ!
パン!

わしには
似とらんの
か!
そうねえ
……
部長と
いわれれば
……
そう
みえるけど…

英男さん
よねえ!
そう!
やはり
英男さん
か…な…

よく みろっ
わしの
方に
似とるだろ
そ そう
ですねえ…
なんと
いいま
しょうか……

おっ
足の裏!
部長の足に
そっくり!
ごまか
すな!
こいつっ!
パコ

おおっ
これは
すごい
！
どうか
したか？

こんな
小さな
足の指に
ツメまで
生えてる
うーむ
精密だ

手の指も
ちゃんと
可動してますね
鼻の穴まで
あいてる
すごいなあ
コンバットジョー
顔負けですよ
おもちゃと
くらべるん
じゃない！

おっ
ふんぎゃ～

音声装置が
内蔵
されてる！
こりゃ
珍品ですよ
いい
かげんに
しろ！

はい はい
どうしたの
？
さすが
プロ！

両さん
だいて
みる？
ばかいう
んじゃ
ない！

こいつは昔40万円の黒楽茶碗をおとしてこわしたんだ!
だめだだめだ危険すぎる!

じゃお父さんがだいてみる
わしが!?

そういえばお義父さんまだ一度もだいた事なかったじゃないですか
ししかし泣いたりしたら……

大丈夫よこうささえて軽く……

ねっ

そうだまだフィルムが残ってたな

こっちむいてくださいとりますから
いやあそうか!
はいピース!

おまえは入らんでいい!
ギュッ
ふんぎゃ!!

お父さんかわいそうじゃない
うむしかし…
そうですよまったく!

はいいきます
カシャッ

おい!泣かんうちにかわってくれ
あらもういいの!

もうすぐお昼の用意させますから!
いや気を遣わんでいいから!

両津!おまえいそがしいんだろ?帰るか!?
いえ今日ずーっとヒマでヒマで!

よかった!ゆっくりしていってね!
そりゃもう!夕食までゆっくりと!

どうして おまえは 遠慮という ものを しらんのだ
あいてて!

そりゃ もう すごい 親バカぶり だよ!
へえ

おい こら! 仕事しろ!
はい

デレッ
お・じ・い ちゃん!

今 思うと 口元なんか もう 部長 そっくり!
そうだろ うんうん

ほかの子と ちがって じつに かしこそうな 目を してましたなァ
今夜 わしの おごりで 飲みに いこう!
当分は あの手で カミナリが さけられそうだ

★週刊少年ジャンプ1984年39号

コレクションの巻

コレクションの巻

道を聞きたいだって!
いえ!けっこうです自分でさがします
ひゃあ——っ
ダダッ
そんなこわがる事ないだろくそっ
その頭みたらだれでも不気味がりますよ!
しようがないだろ
この前この頭にしたら読者にうけたらしくてな
今回もこのまま続けるんだとさ
赤く染めて変化をつけたらどうです
よけい目立つだろ!ニワトリじゃねえんだぞ!
まっ2回続けば見なれてあきるだろう
そうでもないようですが

ところでなんですかそれは？
切手だよガキのころ集めていたやつだ
こないだ実家へいったらでてきてな
へえーっ先輩がそういう趣味あるとは思わなかった
切手ブームだったからなあのころは…

このやつしってるか？
えっ

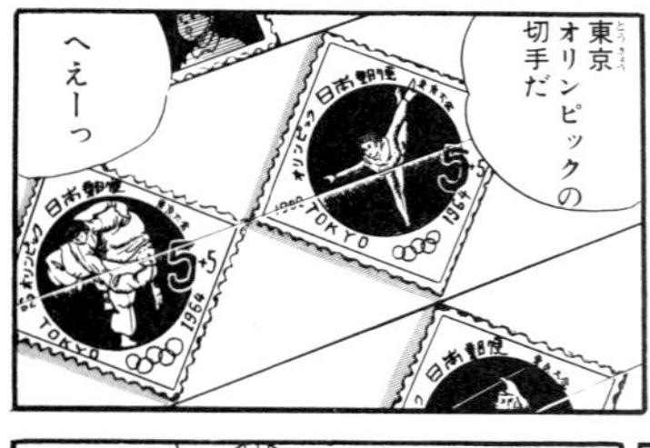
東京オリンピックの切手だ
へえーっ

横っちょに＋5とあるだろ
これは当時オリンピック開催寄付金の一部にあてられた金だ
5+5

つまり　わしの5円がオリンピックに役立ったわけだすごいだろ
そ　そうですね

やぶれた切手が多いですね
ああもらい物だ！
1958

当時クラスに切手マニアのお大尽のガキがいやがってな…
先輩の話は　よく大金持ちがでてきますね

すげえ　やなやつなんだけどよ家に遊びにいくと汚れた切手や外国切手をくれるんだよ
こっちはゴマすってさ！コレクションの半分くらいはそいつにもらったやつだ
昔から世渡りは上手だったんですね

切手趣味週間の浮世絵シリーズが高くなるぞといわれ　集めたが全然　値上りしねえでやんの！
バカみたよ
この切手だけちゃんとパラフィン紙にくるんでありますよ
えっ

それは鳥シリーズのエラー切手だな
エラー切手？
10

印刷ミスなどで通常のやつと少し違っている貴重品の切手だその「きじばと」は目の位置がちがってる
切手屋からわざわざ買った物だぞそりゃあ！

お大尽の友人からもらわなかったんですか？
あたり前だろ くれる切手は値の上りそうもない安物ばかりだ！

後半はスタンプ入りの外国切手ばかりですね
それは安かった 20枚で100円くらいだった

あと コインのコレクションもあるんだぞ！
いろいろ集めていたんですねえ
ジャラ

これが有名なケネディコインだ
へえーっ

すごくいっぱいね
そうかすごいだろ

これしってるか東京オリンピックの100円玉

ウワサには聞いた事あるわ
そうか！もっとなつかしいのが あるぞ

穴なし五円玉
こんなお金あったの？明治時代に！
ばか昭和だよ
わしが子どものころ使ってたやつだ
この100円玉もしらないか？
しらないわ
二種類あったんですねこの100円
そうだよ現代の100円とは音がちがうんだいい音がする
チャリーン
ゴン
なぜなら昔の100円玉には銀が入っておるだから価値がでると思っていっぱいためたんだ
集め方がいかにも先輩的ですね
この前まで500円玉集めてたんでしょう
あれは失敗だった！
ドン
今じゃすっかりポピュラーになってしまい札の方が貴重になってしまったじつにくやしい！
よく考えれば当然の事なんですけどね…

おまえら ひょっとして この磁石につく 大型50円玉も しらんのか?
ええ
現在の50円も よくしらないんじゃないのか?
はい! ほとんどカードなので!
よく考えたら おまえらふたり お大尽のお嬢さんとお坊っちゃんじゃねえかよ
わしとは 根本的に生活レベルが違うんだよ ちくしょう
いくら説明したって ムダなんだよ
説明して損した
どうしたんだ みんな集まって!
生活レベルが いっしょの人間が きた!
広辞苑
部長ーっ なつかしいでしょ この五円!
バ ッ
ほう めずらしいな…
昔は このお金も 大金だったな!
そうですよね うん うん

5円あれば
浅草で芝居をみて
食事をして
帰ってこられた
からな
ほう 10銭か
なつかしいな
よく 使った
この1銭
銅貨も
大きくてな
そ
そうですね
一円札は
ないのか?
武内宿禰
の!
だめだ
生活レベルは
いっしょでも
世代が
ちがう!
ほう 切手も
集めとるのか
おまえ?
ガキの
時分に
少しょう…
いとこが
好きでなあ
「月と雁」とか
もってるよ
高いん
ですよね
3000円くらい…
すると
「見返り美人」
なんかも
価値が上ったん
ですかね
あれも
1万以上
したらしいぞ
いや!
2万円以上で
買ったと
いってたぞ
げっ
そんなに
!

「見返り美人」ならあります！
本当ですか

大尽のやつがくれたんだ半分だけ！
だめですよこれは！

お金だって半分あれば払いもどしできるじゃないか！
しかし…

切手趣味週間の切手は そんなに値が上ってるのか………
この中に掘り出し物がねむってるかもしれないぞ…
切手帳

部長本官 ちょっとパトロールいってきます
突然どうしたんだ？

長年の警官の勘ってやつでしょうか事件のニオイがしやがるんでちょいと！

長年の勘もいいがその頭なんとかしろ！
はっこりゃあどうも！

切手・古銭・古美術 高価買入
インチキ堂
話題の通信販売の店
古銭

あぶない名の店だな!

ごめんよ!
ガラ

ひゃっ強盗!?
ばか警官だ!

ななんと大胆な!
この店の名だって大胆だぞ

また 看板が落ちたか やれやれ

何 インチョキ堂という名か?
よくこの文字が落ちるのじゃ!

ところでなんじゃな売りにきたのかね
そう この切手買ってくれ

私の数ある切手コレクションの中でもえらびぬいた物ばかりだ
それなりの価格でよろしく!

だめだね全部
なんだって!

なんでだよ価値が ないのかよ!
そうではないが…… 買っても経費にもならないよこのランクは…

そのキジバトの「エラー切手」はどうだ! 貴重品だろ
安くゆずるから!

こりゃ
ニセ物だよ
目玉を
マジックで
かき直して
ある

ちくしょーっ
純真な
少年を
だましやがって
あの切手屋
はい
ごくろう
さん!

東京オリンピックの
だめかね!?
第6次まで
そろってんだよ!
そういうのは
小型シート
じゃないとね!
バラバラじゃ
買えないよ

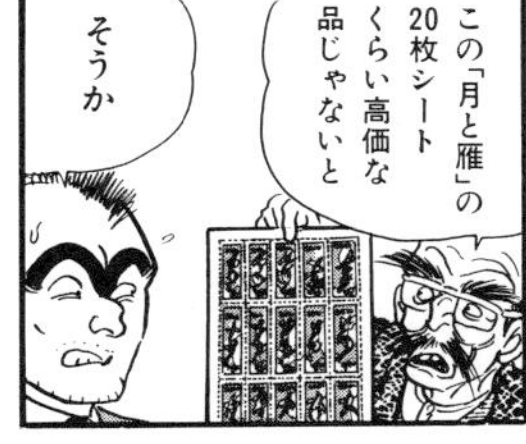
この「月と雁」の
20枚シート
くらい高価な
品じゃないと
そうか

ん!
ちょっと
まて!

「月と雁」は
たしか 5枚の
シートじゃ
なかったか!
もう一度
みせてみろ!
だ だめ
当時20枚の
シートも
限定で
でたんですよ

看板通り
インチキ商品
じゃねえのか
ここは!?
なんて事
いうんです
バカな!

む!? あんた 昔 入谷で 切手屋やって なかったか!? どうも 「エラー切手」 買わした オヤジに 似てるな…
と とんでもない 私は 昔から 亀有じゃよ 入谷なんて 全然 しらん
かすかに 面影が ある気が する
切手カタログから 切りとった切手を 「珍しい縮小切手だ」 とかいって 小学生の わしに 50円で 売りつけ なかったか?
ひ… 人違いじゃよ 他人!
おおっ この切手は 珍しい!

私が 買いとろう はい 100円 よかったね きみ!
声が似てるん だがな……
おっと そうだ
コインも あるんだ
ゴソ ゴソ
どうだ この中で 価値のある コインは ないか?
ほとんどが 昭和の コインだね
ジャラ

これなんか
珍しいだろ
大型50円の
おす・めす
セット

そんなの
いっぱい
あるよ
ザラザラ
うわっ

旧型の中でも
穴あきが 昭和35年
穴なしは 昭和33年
これは 価値が
ある品だ！
それ以外は
だめ！
なるほど

昭和23年の
10円玉や
昭和32年の
5円玉も
発行枚数が
少なくて
価値が
あるぞ
本当かよ
よし！

さがしてみると
ないもんだな
くそ！
だから
こそ
価値が
あるのじゃ

あっ
この50円玉
穴が 少し
ずれてる
どれ
どれ！

ふーむ
なるほど
これは すごい
珍しい！
やったあーっ
珍品
発見だ！

よろしい 30円で 引きとり ましょう
やった 売れた 売れた ん!?
ちょっと まて! こらっ

入谷にいた 切手屋だろ おまえ!
ち ちがいますよ 本当!

その手で 小学生 だましてんじゃ ないだろうな こいつ!

23年の10円玉なら 5000円くらいで ひきとるの じゃがな……
な なに!

ほ 本当だな おい!
ただし きれいな 品じゃよ! あんた!

これだ 元手のいらぬ 金もうけ! よし さがすぞ!
たくさん みつけて くるから な!

えっ
お金を
みせて
ほしい?

いったい
何するんだ?
ちょっと
みるだけで
いいんすよ

くそ!
みんな
最近の
ばかりだ

どうしたんだ
あいつ……
お金が
そんなに
珍しいのか?
お金に対して
異常に
関心が
ありますからね

氷
7up
7up

それからは100円玉が
あると すべて
両替機で10円玉に
かえる日びが 続いた
両替
100 → 10×10
新タイプ 30円
くそ 33年か
おしいな!
もう
100円玉が
ないよ
ねえ
きみたち
!
おじさんの
10円玉と
100円を
とりかえっこ
しようよ

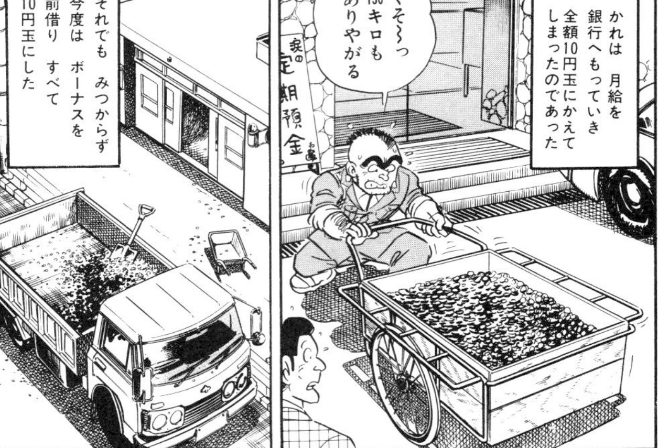
かれは 月給を
銀行へもっていき
全額10円玉にかえて
しまったのであった
くそ〜っ
130キロも
ありやがる
定期預金
それでも みつからず
今度は ボーナスを
前借り すべて
10円玉にした

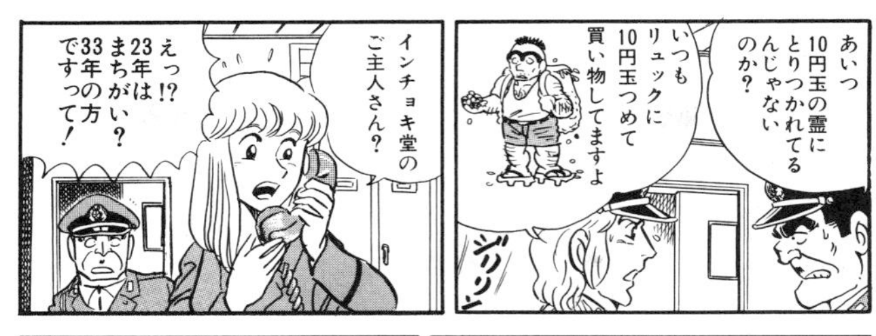

★週刊少年ジャンプ1984年30号

魔の給料日の巻

警視庁葛飾警察署
春の交通

あっ きたぞ

今日は たっのしい 給料日!♪
一番のりの 給料日♪

両さん 今日は 絶対 払ってもらい ますよ!
みんな 逃がす な!
あ あんた ら!?

ちょっと まて 給料取りに きたんだ 今 全然 もってない!

あとで 必ず 払うから! ねっ 借金取りの 皆さん!
信用 できない ぞ!

もらったら すぐ この場で払え！
わ わかった！ 絶対 払います すぐ！
早く かえせ！

消火器
署まで追いかけてくるとは…なんてやつらだ
わしは三浦さんじゃないんだぞ

こんな事もあろうかと用意していたんだ
借金取りから身を守るサバイバルキットを！

警務部
会計課

はい 両津さん お給料
給与 両津殿

わしの一か月の血と涙の結晶！
胸の奥に大切にしまおう

さて この給料袋をもって この署をどう脱出するかが問題だぞ！
どうしてだい？
確定申告 3月15日まで

金の亡者どもが署の外でまってる
わしの金をとろうとして！
署に強盗が!?まさかァ
それが現実だからすごい！
警察官募集
生きて帰れたらまた 来月給料取りにくるからな
あばよ
ジャキッ
借金取りの事でしょ？
あの人はよく 金を借りるからねえ
バタッ
課
おっでてきたぞ！
交通係
署
なんだあのかっこうは!?
酒店
どけ！どけ！そこをあけろ！
パン
パン
パン
パン
うわっタマがでた！
ひるむなオモチャだ！
パン
パン

とはいえ
迫力が すごい
うわっ
特殊部隊の
ジェームス・両津
軍曹にかなうと
思うか!
パパパ
げっ!?
やばい
回転不良だ!
うわっ
つかまえたぞ!
うわっ
ぎゃあーっ
やめてくれェ
それは
私の命だあ!
魚屋さんが
5万8千円
ですね……
うちが
12万5千円で…
うちは
これだけです
あとは
米屋さんの分
はい
終わり
ましたよ
すべて!
両さん
今後とも
よろしく!
うう…
ハゲタカの
ようなやつらだ…
給料
もらって
10分ですべて
なくなって
しまった〜

両津 なんだ
今の騒ぎは？
どうしたんだ？
あっ
署長！
そのごく私的な
事でして！

あまり
そのような
かっこうして
署をうろつかん
ようにな…
はい
十分
わかって
おります

えっ
大原さんたちの
給料も
もっていくん
ですか？

そう！
頼まれて
いたんだよ
いっしょに
もってきて
ほしいって！
だから
ちょうだい！
本当ですか？
ちゃんと
届けて
くれるんで
しょうね
ゴミ

きみは 私を
信用して
ないのかねっ
私が
使い込む
とでも…
わかり
ました
よ！
念のため
中を あけられ
ないよう
封印を
しときますよ
三重に！

日暮巡査にファンレターたくさん すみません! あと3ケ月ほどしたら出て来ますので もう少々お待ち下さい
MOTO GUZZI

いや どうも 皆様
お元気 ですか

仕事を ぬけだして 一番に給料 取りにいくほどの 元気は ないよ
別に そんな つもりじゃ ははは

日ごろ お世話になってる 皆さんのため お給料を 取ってきて あげました はい どうぞ!
わあ ありがとう
すいま せん! 先輩

おまえが すすんで いい事を するとは 変だな?

何を おっしゃいます 考えすぎ ですよ

おや 袋が 変わった ぞ!
そのよう ですね 今月から

ジリリリリリリ

チャッ
はい!
あっ
警務の……
いえ!
ちゃんと
給料もって
きましたよ

封印?
そんな
物は
どこにも
ありません
が……

パッ
あっ

こらっ
警務の
分際で
うるさいぞ
!
外勤は
忙しいんだから
電話なんか
するんじゃない
バカ!

まったく
困った
ものですね
内勤の
連中は
我われの
苦労も
しらないで
ガチャ

おまえ
何か
かくしてるん
じゃないのか
?
いいえ!
とんでも
ない!
べ…別に
何も!

給料に
何か細工を
したのか？
ビ

ねっ
明細書
ピッタリ
でしょう！
全然
細工など
してませんよ
めいさいしょう
年金代 1,500
サービス税 2,500
テーブルチャージ 5,000
ボトル代 15,00

何 これ
先月より
少なく
なってる
僕も
少ない
みたいな
気が……
そこ！
相談
しない
ように！

おい
両津!!
金を
ぬいたな
！

完璧なまでの
偽装工作を
どうやって
見破ったん
ですか？
おまえの
字は
ひと目
みれば分る
！
金を 何に
使ったんだ！
競馬か！
競輪か！
ありますよ
まだ 使って
ませんよ〜っ
！

だって 血も涙もない
借金取りが 給料
全部もって
いっちゃったん
ですよ〜〜っ
一文無しじゃ
今月 生活
できませんよ〜っ
お米も全然ないし
灯油も買えない！

だから
皆様の
ご慈悲に
すがろうと…
少しずつ
寄附を
させていただ
いただけじゃ
ないですか…

私は　返して
もらうわ
えーと５万円
くらいね
わしは
４万円
くらい
だと思う
残りは
ぼくが…

オニッ
アクマ！
そんな
非人道的な
事を　して
良心が
とがめない
のか！

計画性を
もたずに
使っちゃうのは
自分が
悪いのよ！
その通り
両津なら
雨水と木の根で
一ヵ月くらい
生きのびられる

うう…
なんてやつらだ
同じ職場で
ありながら
鬼のような
やつらだ
今に
金持ちになって
あいつらを
見くだして
やるぞ

女だったら
ひと月百万くらい
すぐ　たまるが
男じゃせいぜい
10万円だ
いっしょに
いい仕事
さがして
金を
ためよう
キュ
キューン

中川 両津を
見張れ!
金のためなら
何するか
わからんぞ
はい!

アルバイト
さがし回って
いるようす
ですが…
雇って
くれるところが
ほとんど
ないですね

どういう
バイトを
さがしてる
るんだ
ファッション
モデルとか
建築技師とか
パイロットとか…
のぞみが高くて…

そんなの
初めから
ダメじゃ
ないの!
まだ 自分が
どういう
立場か
わかってない
ようだな
火の用心
どうするん
ですかね
本当に…

さあーっ らっしゃい らっしゃい
マッテルワ

そこを歩く学生さんどう!
今、話題のお店!
2.000円
勉学に日夜はげむ学生さんの気分転換 明日への活力にぜひ当店へ!

6時まで2千円ポッキリで…

げっ 部長!

中川から聞いたが… 本当にこんなところでバイトしてるとは
たび重なる生活苦のため職の内容にこだわらずつい……

こんなところ署長にみつかったら派出所全員クビだぞ! こいつっ
6時までやらないとバイト代もらえないんですよ あと一時間だけ

まったく
おまえには
しゅう恥心と
いうものが
ないのか!
しかし
あの場合は
止むをえない
状態で……
おまえは
四六時中
止むをえない
状態だろうが
!
金が必要なら
署内で
働け!
えっ
署で!?
時間外勤務を
するとか
内勤を
手伝うとか
だ!
なるほど
それは
一案だ!
さっそく
明日にでも
署長に
かけあって
みます
その方が
こっちの方も
安心だ
わかったな

署長室
なに!?
署内でアルバイトはないかだと!?
なんでもいいですよ そのかわり現金でください
しかしバイトといわれてもうーむ
人事課に問いあわせてみるよ
よろしくお願いしまーす
禁煙
徐行
くそ!
警視庁
パトカーの洗車かよ

一台につきワックスまでかけて360円だってよ
内職みたいだよまったく
ザーッ

わしは肉体労働より頭を使う仕事の方があってるのに
ゴシゴシ

おっ新品のタイヤじゃないか
これを売ればいい金になるぞ

いやそれよりこの車新しいから色を塗りかえて丸ごと売っちまった方がいい
その方がいいぞ

80万で売れたとして同型の車を50万で買ってパトカー用にペイントして元のとこに置いとく
ペイント代が10万で差額のもうけが…えーと
2…くりあがって……

などとバカな計算してる場合じゃない！
早いところ洗わないと！

ガロロロロ
おっあのパトカー出動しちまうぞ！
警視庁

ヘイ！ジャストモーメント
あれ 両さん？どうしたんだい
キイイッ
いやあ すまんね
キュッ キュッ キュッ
えっ 何!?
ムッ
警視

ギブミーサムマネー！
しっかりしてるなあ
ケチだな これっぽっちかよ！
ブロロロ

やっぱマメに一台ずつやるしかないなあ
都内の警察署94か所全部回ればなんとかなるだろう
火気厳禁

すまん ガソリン 入れたいんだ……
車 こっちへ もってこいよ

動かすの めんどうだから ホースに 直結してくれよ
横着な やつだな
火気厳禁

えーと これかな ?

スポッ

ありゃ 止まっちまった
火気厳禁

こらあ 洗車してるところだぞ!
悪い! 悪い!

だいたい うちの署の中庭は 狭すぎるんだよ
ゴチャゴチャ してるよ

おっ でたぞ!
ザー

つないだぞ！
サンキュー
なんだおい!?
ザーー
水だぞこりゃ
この水変なにおいするな…
バシャ
ザバッ

★週刊少年ジャンプ1984年16号

旅立ちの日の巻

数かずの悪名と大事件をよぶ
動く三面記事・両津巡査長
目にあまる　かれの行動に
ついに　本庁が動き出した!
はたして　警察官を懲戒免職に
なってしまうのだろうか!?
それとも…!?　両津巡査長の
明日は……!?
先輩が
クビにならず
すんだん
ですって!?
タバコ用心
寛大な本庁の
親心で今一度
チャンスを
くれた!
素行に多少問題が
あるものの
犯人逮捕など
手柄　功績も
人一倍あるからと
いう事だ
そりゃ
よかったですね
そのかわり
巡査から
やり直し
だ!
え!?

配属替えで
この葛飾署を
やめて 外の署に
転勤となった
うちの署を
やめちゃうん
ですか?
本当に!

いつから
なんです
か?
今日の
午後からだ

思いおこせば
あいつの上司と
なって 20年…
血圧は上がる
心臓は弱る
胃かいようになる
人生の七難八苦を
すべてしょって
きた…

しかし
その腐れ縁とも
今日で
終わりだ
わしにとって
長かった冬が
終わり
ようやく
春がくる

署長も 喜んでいたぞ
「両津放出記念」の
特別ボーナスを
全署員に
配るそうだ
かわいい
そうな
両さんね

お
両津が
きたな
キキィ
警視庁

どうしたの
そのかっこう!?
ひでえもんだよ
寮まで追い出されちまった!

家財道具一式もっての転勤だよ
大変ねえ

おやそこにいるのは両津さんじゃないか

今日から きみはうちの署員でもなければわしの部下でもないんだよ
偶然町で会っても決して声をかけぬようにわかったね

といっても20年間同じ署にいた仲だからね
餞別をあげよう500円!

部長! 私は 別に餞別が ほしくて派出所に寄ったんじゃないですよ
ちがうでしょ私は「部長」じゃないって! きみとはもう 他人なんだから!

何か あったら
新しい署の
「部長」に
相談しなさい
あの
洗車中の
爆発は
本当に
身に覚えが…

信じて
ください
私は！
もう
時間が
ない
さあ
急いで！
バタン

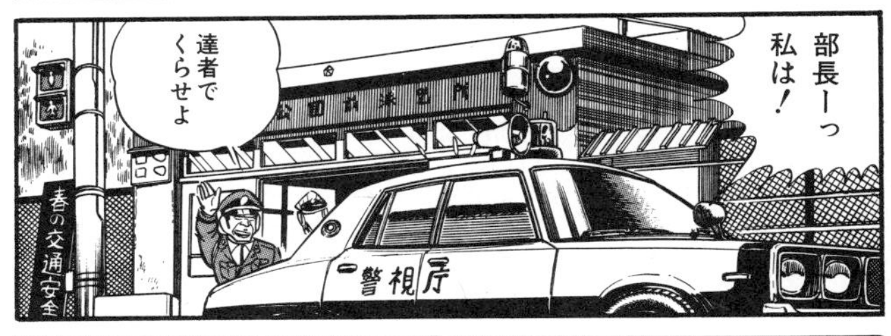
部長ーっ
私は！
達者で
くらせよ
警視庁
春の交通安全

あっけなく
いっちゃった
わね
いいや
新聞で
あいつを
見る機会が
ありそうだ

TOSHIBA

東京・銀座（ぎんざ）

春の交通安全
警視庁

春の交通安全
防犯運動実施中

まいったな下町からいきなり東京のど真ン中へきちまった!

外　歩いてる連中までちがってみえるな

それにしても隣りが歌舞伎座のせいかバアさんが多いな

すいませんお巡りさん
またきやがった!

たちばな会のみんながどこか はぐれてしまったんだがね
あんたが迷子になったんだろ

どんなバス乗ってきたか覚えてないか?色でもいいから
全然記憶にないね

あれ
バアさんが
いなく
なった?

おーい
今のバアさん
どこだ!?
くそ!
年寄りは
みんな
同じ顔に
みえるな!

いたいた
おい!
また 迷子に
なるなよ
人が
多くて
多くて

ヒョイ
手っとり
早く
さがして
やる!

おーい
このバアさんの
しりあいは
いないか!?
たちばな会の
バアさんだぞ
おーい!
あっ
いたいた
タネさん
だ!
こっち
だよ!
こっち

どうも
お世話さま
でした
もう
迷子に
なるなよ

まったく
玉三郎
公演は
すごいな
若者の
コンサート
会場と
いっしょだ

さぼってる
ヒマが
ないよ
まったく

Excuse me.
(すみません
が…)
おっと
一難去って
また
一難！

Would you tell me where the department store is？
(デパートはどこでしょうか？)
ダメダメ
英語
さっぱり
わからん
日本に
くるなら
日本語覚えて
こい！
シャラップ

どうしたん
です
両津さん
おっ
山下
この外人が…

May I help you？
(どうしました？)
OH！

Thank you！
(ありがとう)
You are welcome.
(どういたしまして)

すげえな
英語
しゃべるのかよ
山下！
場所柄
道案内くらい
しゃべれないと
つとまり
ませんよ

英語以外にも
韓国語フランス語
など数ヵ国語
習ってるんです
ここの　班長の
方針なんです
ここの
派出所の
班長は
口うるさい
からな

両津さんも
今日から
勉強するん
ですよ
なんだって
わしも!?

語学実習は
週5時間
教養実習
週3時間
勤務終了後
勉強するんです

頭痛く
なって
きた……
なにせ
班長さんの
アダナは
教授
ですからね
我われは
管理されて
るんです

班長が
こないうちに
昼メシ
くって
くるよ
あっ
ちょっと

時間と行き先
何を
たべるかを
ノートに
かいといて
ください
完全に
管理
されてるな

なんと!
¥3500

どインフレじゃねえか
なんだこの値段は?
同じ東京でも葛飾とはえらいちがいだ

まっ背に ハラは変えられん くうか!
金かかるなあ!

おいおい なんだよ
その制服ではちょっと!

ちくしょう えらそうに!

FUJYA

どこへいっても追い出されちまう
定食屋の一軒もありゃ助かるんだがなあ

シゲトジナルト
HAMBURG
CHEESE BURGER
COFFEE 200
COLA 150
MILK 120
BIG BURGER
結局こういうところしかないか
アメリカのポリスだなまるで……

あっ
おっ
TRASH

本田(ほんだ)じゃないか!?

ようダンナ

どうしたんだ?こんなところまでさぼりにきたのか?
こらっバイクでくるんじゃない!
トレーはこの上へ▲
TOREIWAKONOUE E

スペードのおしげさん CAFE BAR
CAFE BAR
スペードのおしげさん

先輩が銀座署に転勤になったんですか?
全然しらなかった

どうして異動したんです?
私のように有能な警官は警視庁の宝だ どこの署でもほしがる
銀座署の署長が 頭を下げ ぜひ うちの署に きてほしいと すがりつくので そこまでいわれては ことわれんだろう
ズズッ

でもバッジが変わって巡査になってますよ
ぶっ

これには理由がある!
新しい署に配属になったので 一から出直す意味で 私が たのんで ヒラに してもらったんだ

なるほど! 先輩は勉強家だなあ
見直しちゃったなあ
人間いくつになっても初心を忘れては いかん おまえも わしを 見習え!

おまえこそ
なんで
銀座なんかに
きたんだ
横浜まで
シャツを
買いにいく
途中
なんです

なんたる
自堕落な
生活
非番の
時こそ
勉強せねば
いかんぞ！
ローマ字を
習うとか
かきとりを
するとか！

ピ
ピー
おっと
班長
からの
呼び出しだ

はい
両津で
あります
はい！
食事
終わり
ました！
今ですか？
パトロール中
であります

場所？
えーと
ここは……
銀座通りを
真っすぐ…
ここは
すべて
銀座ですよ

このように
署が　変わって
私も　日夜
いそがしい！
じつに
いそがしいので
きみっ　これ
私のかわりに
払っときなさい

そう！
みゆき通り
でした！
すぐ
もどります
はい！
ただ今
すぐに！
プコプコ

結局 人に
払わせちゃう
んだからな
！

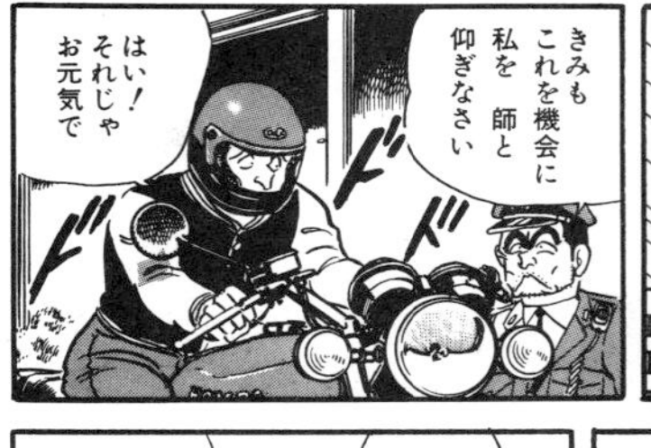
きみも
これを機会に
私を 師と
仰ぎなさい
はい！
それじゃ
お元気で
ドドドド

ふう
とんだ
ところで
会っちまった
な！
グオオオム

おっと
ピピー
間髪
入れず
また
コールが！

はい
ただ今
もどります
現在は
えーと
西五番街を
進んでます

なに!?
帰る派出所が
わからなく
なった!?
あんた
本当に
警官？

防犯運動実施中

どうも遅くなりまして

28分の遅刻だぞ食事時間を守らんといかんぞ！

ネクタイが曲がっているぞ規律は服装から直せわかったな！
へいどうも申しわけありません

えーっ迷子になってたんだって!?
滅多にきた事ないから全然わからんよ

通りを覚えれば簡単だよ あとで ちゃんと教えてあげますよ
そうかすまんな山下！

なんで
東京生まれの
わしが
こんなやつに
道教わら
なくちゃ
いかんのだ
ちくしょう!

つまり
このhaveは
現在完了
なのでhas
と直す
したがって
下のように
なるわけで…
わかるな

えらい
班長に
あたっち
まったよ
どんなに
イヤミ
いわれても
大原部長のが
まだ ましだよ

両津!
はは
はい

きみは
語学実習
今日が 初めて
だったね
はい
お手柔らかに
お願い
します

それじゃ
初めは
簡単に
………

これを訳してみたまえ
I am just a beginner, so teach me easier, please
あの…しろうとなもので……
もう少しわかりやすく教えてください
その通りよくわかったね
えっ
この文では「初心者」より「しろうと」の方が よりよい訳文になる
beginner, so teach me .please.
よく理解してるね……英語は得意か?
その程度は常識ですよ
よろしい 今日は 一気に上級コースをやる事にしよう
げっ
I am just a beginner, so teach me easier, please.
ENGLISH
えらい事いっちまった全然わからねえよ
All public officials are servants of the whole community ……………………

それでは
会話を
おこなう
そうだな
森下!
はい

今日は
両津と
話してみろ
えーっ
しゃべるん
ですか?

くそ
こうなりゃ
ヤケだ
The people shall be liable to taxation as provided by law.

オオーッ
ベリーグッドォ
コカコーラ
チョコレート
ジョン・
ウェイン
ボールペン

ゲイシャ
フジヤマ
ナショナル
ソニー
トヨタ
オーッ
ハンバーガー
ハムエッグ
クリームソーダー
ベリー
マッチ!!
全然
会話になって
いないじゃ
ないか!
鋭い
ボディ
ランゲージだ!
うーむ 国際的!

★週刊少年ジャンプ1984年17号

銀座(ぎんざ)の春の巻(まき)

おっ
今日も
いい天気だな
春の交通安全
四丁目の
交差点を
右に曲がって
……

銀座の春の巻
ハトバス
銀座コース
ハトバス
ふああ…と
山下
わしのラーメン
しらんか
ボリ
ボリ
台所
でしょう!
…………
むこう
そうか
サンキュー

2階で寝泊りしてるからすっかり下宿生活のつもりでいるよ……

このあたりは物価が高いからな
自炊するのが一番安上がりだ
グツ
グツ

キイ!
警視庁

会議が遅くなってな
班長どのお疲れ様です!
火の用心

や やばい
班長が
きた!
このラーメンを…
いや
パジャマ姿を
なんとか!
2階だ!!
ぐわっ
ツルッ
ぎゃあ
ぐわっちちちっ!
ドドドドドドド
なんなんだ
今のは?
両津さんの
ようですが…

なにっ 両津が すすんで 銀座署で 巡査になった だと?
あいつは 格下げされて とばされた だけだ!
え――っ だって 勉強のため みずから……
あいつが そんな事 すると 思うか!

本庁が あいつを 鍛えるために 最前線の 銀座へ 送ったわけだ
本当?

各署で とりあいの 人気だと いってました よ!
逆だ あいつを ほしがる 署なんて あるものか!

安全ピンの はずれた 手りゅう弾を ふところに 入れてるような ものだ
銀座署も えらい物を あずかったよ

まるで
トランプの
ババぬき
みたいですね
まさしく
あいつは
ババだ！
警視庁の
死神だよ
あいつの
勤務ぶりは
どうだった
ちゃんと
皮靴
はいてましたよ
でも　あまり
くわしくは
話さなくて…

今日の
朝刊には
出てません
ね………
バサッ
テレビ
ニュースでも
聞いて
ないわ
まだ 平和の
ようよ
いなけりゃ
いないで
気がかりだ！
まったく
あいつは……

キイッ

ご苦労
さん！

たしか歌舞伎座の隣りといってたな

それにしても人が多いな
こんな土地であいつちゃんと勤務できてるのか!?

春の交通安全

なるほどあの派出所だな!
よーし

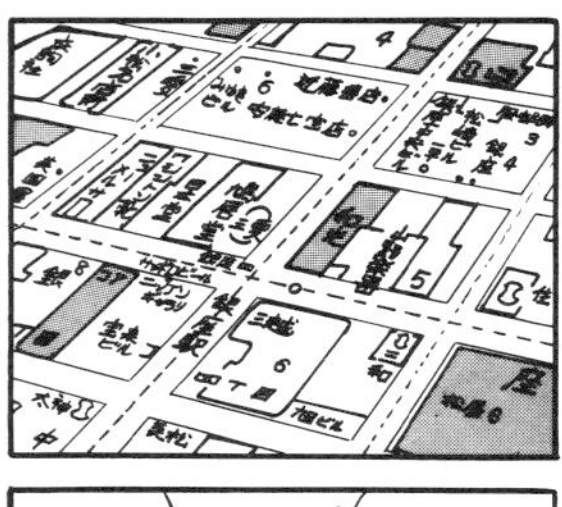
銀座駅
三越

えーとここが一丁目の通りで……
交わる通りが……

疲れたちょっとひと休みしよう!
まだ地図を覚えられないんですか?

ばかやろう おまえみたいに大学出で勉強ばかりしてたやつは得意だろうが
わしのようにワイルドに育った者には暗記は苦手なんだよ
別に得意じゃありませんけど………
そのくらいは自然に頭に入るんじゃないかと……

遠回しにわしを バカといってるのと同じだろ! このやろう!
ち ちがいますよ! 本当に…

しかし前に いた派出所でも道案内したんでしょ
よく覚えられましたね

以前は下町の派出所にいたからな
下町で生まれたせいかすぐ 覚えられたな 簡単に!

前の派出所どうして辞めたんですか?
しいてあげれば部長との性格の不一致だな
TEL

だいたい銀座なんて生まれてから3回くらいしかきた事ねえよ
極端ですね

ちょっと
道を
たずねるが…
えっ

新橋演舞場は
どこですか?
シンバシ
エンブジョー
?

おい 山下
どこに
あるんだ?
いい機会です
自分で調べて
みましょう!

ちくしょう
学校の先生
みたいな事
いいやがって
さっぱり
わからねえよ
うーん
ないな……

そう!
思い出した!
たしか それ
去年 取り壊し
ちゃったんだ
日劇と
いっしょに
残念だったね
おっさん!
いい加減な
事を……

絶対
あるはず
ですよっ
絶対!!
うっ!

わかったよ
もう一度
さがして
やるよ
しつこい
おっさんだ

どうぞ
どうも
さすが
気のつく署員だ
コト

環境で
少しは 変わる
ものだが……
全然 変わっとらん!
んーと

さっきの
性格の不一致って
どういう事です
ああ
あれか……

とにかく
その部長ってのが
イヤミでガンコで
石頭!
年中 おこって
ばかりで
どうしようも
ねえんだよ

おまえが
おこらす
原因
だろうが!

えっ

なんで
おっさんが
おこるん
だよ
いや
ちょっと
第三者
としての
意見を……

上司の方も
悪い部下を
もったと
なげいて
いると思い
ますよ
冗談じゃ
ないよ

私なんか
まじめを
絵にかいた
ような男ですよ
部長が
ヒステリーで
ワンマンで
………ん!?

げっ
部長!?

こいつ
いわして
おけば!
まって!
私は　もう
葛飾署の
署員じゃなく
他人です
上司でも
なけりゃ
部下でも
ないって
いったのは
部長でしょ!?

わしは
ひとりの
人間として
おまえに
制裁を
加える!
ずるいよ!
インチキだ!
チョンボだ!

あの
お巡り
さん!

車が　パンク
しちゃって!
すいませんが
手伝って
もらえませんか

勤務が忙しいので失礼!
ズルッ
あっ

相変わらず逃げるのが上手なやつだ
あなたが部長さんでしたか

なんだこりゃ馬かよ!
ヒヒ〜〜ン
競馬場から移す途中なんです
ブイ〜〜ッ
ブイ〜ッ

銀座で馬と会うとは驚いたよ
ヒヒン

タイヤをとりかえる間交通整理してください
わかった早めにすませよ

こらっ両津そんなところに……
ちょっとタイム仕事中！
もう逃がさんぞこいつ！
あっ
うわっおれる！
もう！だからいったでしょう！
落ちつきなさい！ドウドウ

うわっ
逃げた！

両津
つかまえろ！
わかってますよ！

うおっ

てめえ
この！

うわっ
うわっ
CALINA
HONDA YOSHIMURA
こら！止まれっ
おい！
ドカ
ガシャ

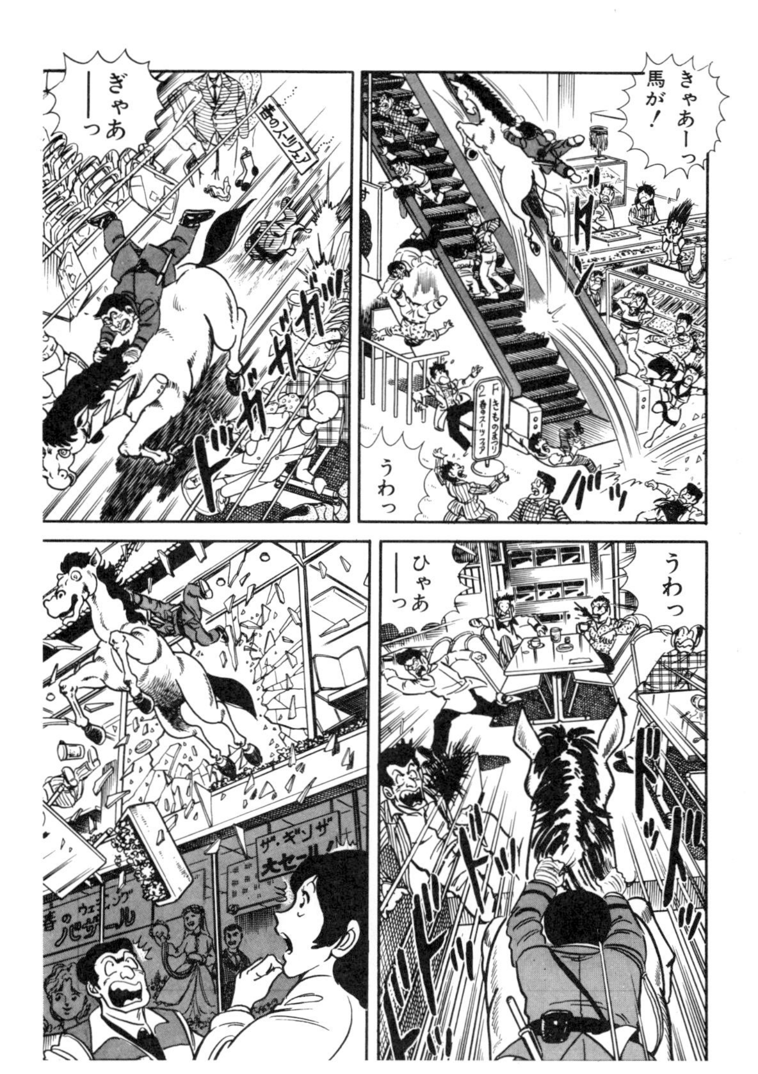
きゃあーっ
馬が!
2F きものまつり
春のスーツフェア
うわっ
ぎゃあ
ーーっ
春のスーツフェア
うわっ
ひゃあ
ーーっ
ザ・ギンザ
大セール
春のウェディングバザール

ドドッ
ドッ

やっと
おとなしく
なったか
こいつめっ

あっ

なんだ!?
馬が 全部
逃げちまってるぞ!
ヒヒ〜〜ーン
ドドドッ

あーーっ
だれひとり
いない!?

ひでえ
ーーっ
罪を全部
わしに
ひっかぶせる
気だ!

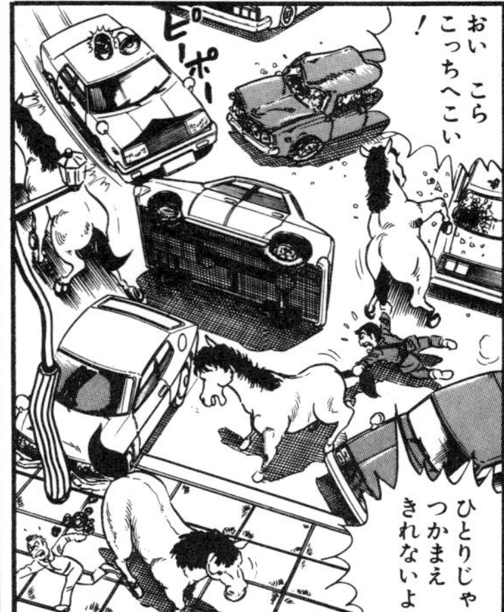
おい こら こっちへこい!
ピーポー
ひとりじゃ つかまえ きれないよ

昨日 銀座で 馬が 輸送車から 逃げて 大捕物と なりました
高級ブティックに 馬フンを まきちらし 一時は 馬パニックで 大騒ぎでした
MHK

原因は 近くの 派出所の巡査が パンクで止まっていた 馬の輸送車のカギを いたずらで あけたとの事です
心配してた 矢先に これだ! 今度は 銀座署を 追い出されちゃうん じゃないですか? 部長!
ま…… まったくだ わしが ついていれば こんな大事には いたらなかった のに!

★週刊少年ジャンプ1984年18号

両(りょう)さん亀有(かめあり)へ帰る！の巻(まき)

両津が帰ってくるですって!?
署長室

それはないですよいなくなってホッとしてたとこですよ
よりによってまたうちの署へもどすなんてほかへいかせてください!

そうだ! 伊豆七島で人数が足りないといってましたぜひ そこへ!
うちの署はだめですよもういっぱい絶対もどしてはいかんです!
ガタッ

大事な話し中だ! あとにしろ!
トントン…

えーっその本人なんですが……
ギイ

ガチャ

ほ 本当に帰ってきちゃったわけ……
あみだクジでこの署にきまってしまったというわけで……

もし
もし
両津巡査長は
そちらへ
むかってる
はずだよ
もし もし…

きましたよ
しっかりと!
はい
もういいです
すべてが
終わりました
から……

えーっ
つきましては
配属は
どのような
あんばいで…
どこでも
いい……

えっ!?
好きな
ところへ
いって
いい

じゃ また
公園前派出所
に勤務します
ので……
今後とも
末長く
よろしく
それじゃ!
カチャ

バダッ
また
暗黒の
時代が
もどって
きたか……

喫茶 モギ&ノガリア

いきなり帰ったらびっくりするだろうな…
中川たちわしの事忘れてるんじゃねえのか？

考えたってしょうがねえよし！
ごく 自然な形でとけこむ事にしよう
カン

いやあ遅刻しちまったぜ！まいったこりゃ
あ！
先輩！帰ってきたんですか？

どうしたのいったい!?
はい はい 忙しいからどいて！どいて！

えーと地図は…とあ あった！

じつに忙しい！えーと亀有4丁目の山田さんは…
先輩 銀座署にもどらなくていいんですか!?

どこへもどるというのだ!? 私は 昨日もここで 仕事してただろ！ねぼけてるのか？おまえ！

あっ 部長 先輩が 突然 もどってきましたが…
ここはわしにまかせなさい

おい 両津！
つまりABがB＋αでα＝γという……

こら！
パカッ

なにするんですかいきなり！
なぜ帰ってきたんだ

さいはて警察署でとんでもない事をやったのか！
ち ちがいますよ つぶれたんですよ あの署が！

場所が 場所だけに
赤字を だして
先週で なくなっ
ちゃったんですよ
本当
だろうな!

さいはて署に
いたと
どうして
しっているん
です?
いや
ちょっと
風のウワサに
きいてな

おまえの
ようなやつは
この派出所に
おくわけには
いかん!
鬼の
ような
ことばを!

私は
この数週間で
生まれ
変わったの
です!
今までの
イメージを
すてて
ください!

私は 今回の
転勤を通して
警察とは
何か?
なぜ 私は
警官の道を
選んだのかを
考えました
公務員は
安定してる
からだろう
そう…
親方日の丸で
不況にも
びくともせず
恩給がつき
休日が多い…

ちがうっ
てば!!
話の途中で
変な事
いわないで
くださいよ

私は山の中で流れる川をみつめながら考えました
なぜ私は警官になったのだろうと?
銃が撃てるからじゃないですか?
そう!この不気味に輝く美しさ…この肌ざわり…まさに男の小道具これを撃ちたくて警官に…
ちがう!!バカモノ!
銃じゃないんだ!
衣食住がそろってるからでしょう
ピシャリ
その通り住む所がありメシはタダその上金までもらって…
もーっいいかげんにしてくれ!
私が警官になったのは一千万都民を守るためです!正義のため!!
西に困ってる人がいれば行って助けてやり
東に強盗だときけばすぐにひっとらえ!
この世から悪を無くし住みよい日本にするため
日夜市民の盾となる警察官になりたい!これですよ!

幸い あたたかな 本庁の御配慮で 懲戒免職という 最悪の結果には いたりませんで…
銀座署 さいはて署などの 研修を へて より立派な警察官に グレードアップして もどってきた わけです
元の巡査長に もどして もらいました
ズキッ
その立派な 警官が どうして ギャンブルなど やるんだ!?

そ それは 過去の私でしょ 今は もう まったく 興味もなし!
そうは 思えん がな…

何を おっしゃるん ですかっ 部長!
私は 生まれ 変わったと いってる でしょう!

あっ いたいた 両さん 久しぶり
しばらく いなかったけど どこか いって たのかい?
まあ いろいろと 事情が あってね
いて よかったよ 来週の 競馬 なんだけど さあ……
バサ
馬

いい年をして そんなもの やってるんじゃ ない！
サッ
あっ

馬のかけっこ など どこが いいんだ この バカモノが！
ビリ
ビリ
あっ ひでえ！

何が ひどいだ おまえの目を 開かして あげたん だぞ！
ギャンブルに うつつを ぬかすヒマが あったら 働け！

ギャンブルだの 宝くじだの 楽して 金を もうけようと 思っちゃいか ん
人間 ひたいに 汗して 働く姿が 一番美しい のだぞ！

大の男が 目の色変えて お馬ちゃん！ お馬ちゃん！
次のレースは 3ワクの流しだ 3－6とくれば こいつあ でけえ いけるぜ ぐふふ！
もうけたら ハイボールで 乾杯だ へへへ

などと！ これが 真の男だと いえるか！ 恥を知れ！ 恥を!!
ねえ 部長！

2年前 わしが おまえに いったセリフと 同じだな
え!? そんな事 ありまし たっけ？

とにかく
ギャンブルなど
足を洗って
まじめに働き
なさい!
ちゃんとした
労働者と
なってから
私のところに
くるように
!

なげかわしい
ですな
ああいうのは
人間失格
ですよ
おまえも
同類だろ

なぜ 部長は
私を
信じないいん
ですか!

よう
両さん
マージャン
やろうよ
ひとり
足りないいん
だ!
ピクン

なあ
頼むよ!
両さん
こないと
もり上が
ないよ!
なっ
ポン

き……
今日は
勤務が忙しい
そうだ…な
……
ガゥうう
そ
そうかあ
じゃ また
日を
あらためて…

まったく
どいつも
こいつも
ロクな
やつは
おらん
人が
更生しよう
としてるのに
まったく!

おじさん
プラモデル
作ってよ
ズルッ
SF.3D

きみたち
ここは 派出所
なんだよ
そういう事は
プラ模型店で
いいなさい!
だって
お巡りさん
作ってくれる
じゃない
一個100円で……

なにを たわごと
いってるんだ
私が プラモなんか
作るはず
ないだろ!!
私が タミヤの
人形改造
コンテストに
出品するとでも
思うのか?

きみたち
小学生と
レベルを
いっしょに
されちゃ
困るね!
SF.3D

先輩の
引き出しに
1/35の人形と
パテやヤスリが
入ってますが…

いちいち
人の引き出し
調べるなっ
こいつっ!

しょせん おまえが 心入れかえても その程度だろう
ちがいますよ どうして 部長は 信じて くれないんです
勤続20年 今やっと 目が 覚めた のです
ガッ
うっ
わ わかった 信じよう うん!
いや その目は 本当に 信じて いない!

私も巡査長 となり 部下を 持ち 中間管理職の つらさを しりました そして 部長の 苦労を しったのです
上からは 命令され 下からは 悪口を いわれ 安月給で よくまあ30年以上も 勤めたものだと 尊敬するやら あきれるやら…
大きな お世話だ

おい こら 中川!
えっ

そんなところでボサーッとつっ立ってるんじゃない!
書類の点検するとか立番するとか仕事は自分から進んでしろ!

われわれ外勤警官はたえず外からみられているきみ自身が警察の代表という事を頭に入れて勤務しなきゃいかん!

イヤミな市民がもし さぼってるところを見て新聞にでも投書されてみなさい! 警察全体の体面にかかわるだろ!
はい

仕事をする時は全精力をそそぎこみ集中する
道案内は笑顔を忘れず親切をモットーとする!

すると いつか新聞の「読者の声」などで「私の町には親切な名物お巡りさんがいます」などと思わずかかれてしまう!

イメージアップのためにも勤務に力を入れんといかんぞ
ねえ部長!

うーむ まさに 両津のいう通りだすごいな!
いえ これも部長の指導がよいからです

私は ただ
部長の教えを
守ったに
すぎません
すべて
部長の
おかげです
そうか…
やっと
わかって
くれたか……
じ〜〜ん

こら 麗子
ボサーッと
してるな!
早く 部長に
お茶を入れて
さし上げろ
はい

まったく
近ごろの若い者は
気が きかない!
私 見ていて
ハラが たって
ハラが たって
まあ
そういうな
おまえも
立派に
なったな

ちょいと
まちな!
ピタッ

わしが
検査して
やる
サッ

ズ!

ぬっるいい
!!
きゃっ

部長は熱いのがお好きでいらっしゃるのだ！もう一度入れなおしてこい！バカやろうドジ！うすら！スカ！ブス！
そこまでいう事ないだろう
私若者を見るとハラたってハラたって！特にギャル！ああいうバカ女は横つらぶっとばしてブスの3乗にしてやりたいくらいで…
まあまあ
はい！
ゲッゲッゲッ
う…うむこのくらい熱ければいいだろ
検査は？
するよ！あたり前だろうが！
部長は熱い茶が好きなのだ
ジュジュ
ふううまい

まだ 多少 ぬるめだが 味は まあまあ です
そうか わしは あとで ゆっくり いただくよ
意地も あそこまで いけば すごいわね

なんにしても 両津が 真人間に なってくれた事は うれしいよ
いや いや

おまえが卒配し ずっと しかり続けて きたが これも おまえのためだ わかるな!
そりゃもう

中川 酒を用意 しろ
はい

部長 仕事中に 酒など!
両津の 再出発の 祝いだ こいい!

帰ってきた お祝いも かねて ひと口だけ 乾杯 しましょう
私は 酒も ぷっつり やめたん ですよ 部長
いいから ちょっと だけ!

本当に酒やめたんですよ！それに勤務中に飲むなんてまずいなあ！
スッ

いやあすいませんねえ〜
チョコ

おっとっとそんなに入れないで！
グイ

じゃほんのひと口だけ！
わははカンパーイ

あっビンセントバンゴッホが!?
えっ

グイッ

あれ酒が蒸発しちゃった!?
麗子くんちゃんと入れてあげなさい
はははい

カンパーイ
カシャ

いやあ一か月ぶりの酒はおいしいですね
これからもがんばってくれよ

じゃコップを片づけ…
えっもう一度乾杯ですって!?

すいませんね!2度もやっていただいて
そそうだなじゃもう一度!

カンパーイ

今の部長の飲み方よくありませんよ部長と私だけでもう一度
そうか一気飲みはだいぶきいてくるな

ぷあーっじつにうまい!

★週刊少年ジャンプ1984年20号

やっと仕事がおわったぞ

今日は大量に買ったコンバットジョーで部屋の中を戦場にするぞ

わが寮まであと一歩

寄宿生活!?の巻
スカッ

なんだこりゃ!?
寮が無くなっちまってるぞ
あら両さんいたの?
いたのじゃないよ!どうなってるんだ!?
寮が古くなっちゃったから建て直しているんだよ
やだね一か月も前から掲示板にかいといたはずだよ
そうか…一度も見た事なかったからな……
いきなりやるなよな!びっくりするだろ
両さんの荷物全部そこに出してあるからね
ニコニコ寮
住む所はどうするんだよ!
みんなアパート借りたり友人の家に居候したりしてるみたいだよ……
一夜にして住む所を失ってしまった…
火事で焼け出されたのと変わらんな

頼むよ3週間だけ泊めてくれよな!
いろいろ事情があるんだよ

オレたちは友だちじゃないか! いいだろ!
あっ

ちくしょう切りやがったな!
ガチャン

これで20人中20人全滅だ
わしの友人ははく情なやつばかりだ

どうしたんです先輩?
寮の改装で住む所がなくて困ってるところ……ん!?

そうか! きみがいたんだァ!!

中川く〜ん きみの家に 泊めてくれよ ほんの 3週間!
えっ ぼくの家 ですか?
明日から アラブの大使が 日本観光で ぼくの家に 泊まるので ちょっと
わしが いたら 日本の恥を さらすとでも いうのか……くそ

寺井く〜〜ん
だめだめ 家族4人で 家は いっぱい とても 寝るところ ないよ!

じゃ 麗子… いかん! ヒモに なっちまう な……
残念ね!

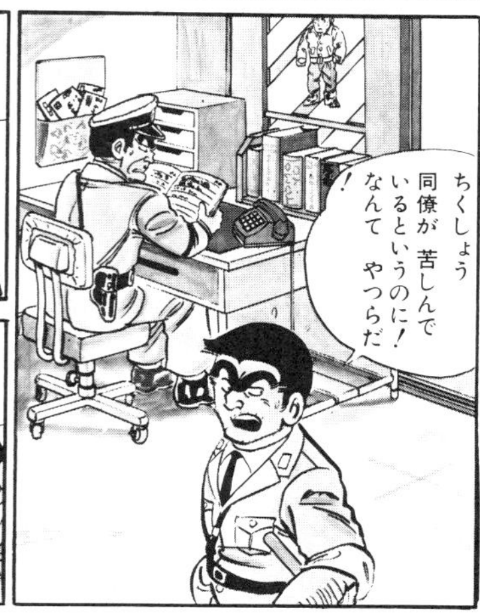
ちくしょう 同僚が 苦しんで いるというのに! なんて やつらだ!

クルッ
あっ!

ぶちょ〜〜っ
あー いそがしい いそがしい

ちょっと
お話が
………
昨日の
書類は
これだ
これだ…

あの…
部長!
ちょっと…
中川!
この書類の
まとめ方は
なんだ!
まちがって
おるぞ!

ぶ
ちょ〜〜〜
ぬっ
うわっ

気味の悪い
顔を近づけるな
ばかものっ
じゃ
話きいて
下さいよ

じつは
寮の工事のため
3週間ほど
部長の家に
ごやっかいに
なれたら
じつに
すばらしいなあ
などと
思いまして…

両津
いい事が
ある
署の
物置の中!
あの中なら
毛布もち
こめば立派な
住居になるぞ

ひどい!
人を ノラ猫と
いっしょにするなんて
部下が苦しんでると
いうのに よくも
そういうギャグを
いえますね
わ
わかった
わかった!
わしの
うちに
きて
いいよ!

あ　ありがとう
ございます
やはり
誠心誠意
たのめば
わかって
くれる
どこが
誠心
誠意だ

そのかわり
家族同様に
扱うぞ！
下宿人とは
ちがうからな
はい
なんでも
けっこうです

部長
大丈夫
なんですか？
仕事が
終わっても
ずっと　いっしょ
だと思うと
休まるヒマが　ないよ

南京豆(なんきんまめ)
神社前(じんじゃまえ)
です！
キイ

国鉄から
私鉄 そして
バス さらに
歩き
いやはや
部長 よく
毎日 通う
気になり
ますね
つべこべ
いわずに
ついてこい

おまえも
同じルートで
署まで出勤
するんだぞ
通勤時間
2時間30分か…
えらいところに
きたものだ

家まで20分か
今度から
タクシーを
愛用
しましょう
このくらい
歩いた方が
健康に
いいんだ!

今
帰ったぞ
はーい

あら
両津さん
いらっしゃい
どうも
客で
きたわけ
じゃない

今日から
3週間
わしの家に
泊まる事に
なった
まあ
そうですか

どうも
お世話に
なります
いいえ
こちらこそ
遠慮なく
くつろいで
くださいね

何いっとる
タダで
住まわせて
くつろがれては
迷惑な話だ
気を使わんで
いい
くく
がまんしろ
3週間の
しんぼうだ!

今日は
風呂の前に
メシにする
はい
わかり
ました

両津さん
何が
お好き
かしら
おい!

いちいち
両津に
きかんでいい
空気と
思いなさい

家族同様
特別扱い
しなくても
いいと
いったよな
そりゃ
もう
当然
ですよ!
くくっ
ちくしょう

牛肉・オレンジなどの日米農産物交渉は米国側の…
これに対し自民党の農林族議員の一部に強硬な声もあり……

何いってるのかさっぱりわからん…

部長! この番組面白いですかねェ?
そういう問題じゃない 警官として国際問題の流れくらいしっといた方がいい

私の提案としまして……他局の「お笑いガチョンです」の方が疲れた頭をほぐすのによいのでは…と

おまえはそういう番組ばかりみてるのか…
いえ! とんでもない プロレスなんかも そりゃ もうしっかりと…

うちのテレビNHKの写りが悪くて本当! アニメや歌番組などはしっかり写るんですがね……はは
いい機会だ ここでNHKをみなさい

おっと急にめまいが!
ヨロ
ヨロ
慣れぬ家にきて疲れたのでしょう 先に休もうかな?

隣の部屋に床を しいてありますから
残念だなNHKみたかったのに……
それじゃお休みなさい

まったくテレビの趣味は部長と完全に正反対だからな
寝床についたもののこんな早く眠れないよ

ポケットビンもってきてよかった!
きみが唯一の友だちだよ

ガラッ
おい両津!

明日は休みだがいっしょに起こすからな
は はいわかりました
ピシャッ
くわーっ四六時中監視されてる様なものだ
わしの方が形勢不利だなこりゃあ!

こらっ
両津
おきろ!
いてっ

えっ
もう朝?
いつまで
寝てるんだ
まったく!

起きたら
ふとんを
たたんで
中庭に
こい!
ふあ
ーい!

えっ まだ
明け方の
4時じゃ
ないかっ
まったく
年寄りは
起きるのが
早いんだから

ビジュ
61
62
ビジュ
63
64
65

66
67
68
69
ビシ
ビシ
ビシ
ビシ
もっと
うしろまで
振りかぶって!
先が
ふらついて
いるぞ!

ちょっと
休憩！
休ませて
ください
まったく
だらしない
やつだ！

起きて すぐ
素振りなんて
ムチャですよ
心臓がパンク
しちゃい
ますよ
わしは毎日
100回やっておる
警察官として
体を
鍛えんと
いかん

わかったら
もう一度
続けろ！
ビシ
ビシ
70
71
72……
ちくしょう
ビシ

100！ふう
おわった
よし
いいだろ

じゃ
さっそく
朝メシを
！
こらっ

なんですか！
まだ
あるん
ですか？
まだ
5時だろうが
朝食は
まだだ！

盆栽の手入れは
朝早いうちに
やるのだ
よく見て
おきなさい
くそっ
たかが
木じゃねえか
バカバカしい
！

おや しばらく みんうちに 草が また 多く なったな
だれか 草むしりを してくれると よいのだがな
こういう 場合は すすんで やる人が いるはずだが
約一名
たとえば タダメシを くったり してる 男が……
わかりましたよ! やりゃ いいんでしょ
!
おや すまんね 自発的に やって くれるとは…
ちくしょう 朝っぱらから こき使い やがって!
はたらきに きたんじゃ ないのに! くそっ
ああ 疲れた やっと 朝食に ありつける
ご苦労様 でしたね
ピク
ちょっと まて! 両津
食事前に 神様にでも お祈り するんですか
?
いや 買い物の 事だ

タダでいるのも
気がねするだろ
おまえが
買い物当番に
なってくれ
別に
気がねしないけど
いいですよ
買い物ぐらい

もう たべて
いいですか？
外に
ご意見は？
いや
もう
いいぞ

ようやく
たべられる
よ……
うむ
こりゃ
うまい
バクバク

こらっ
そんな
こぼしながら
たべて！
猫か
おまえは！
ハシの
持ち方も
ちがうぞ
放っといて
ください
よ！

も――っ
これじゃ
派出所に
いた方が
ましだよ
酒でも
のまなきゃ
やってられ
ないよ！

ガラッ
おい
両津！

書道の
時間だ
書斎に
こい！
えっ
書道！

書は心なり
警察官たるもの
格闘技ばかりで
なく
平常心を
持たんと
いかんぞ
わかるな!
字なんて
読めりゃ
いいと思うん
ですがね!

初めは
〝春夏秋冬〟
だ!
かいてみろ
は　はあ

どれ…
できたか?

こんな
もんで
いいです
かね?

書道は
やめよう
えっ
どうして?
コトン

おまえに
囲碁を
教えてやる
いや!
あれは…
マーブル
チョコ
みたいで
つい 口の中に
入れてしまう
ので……

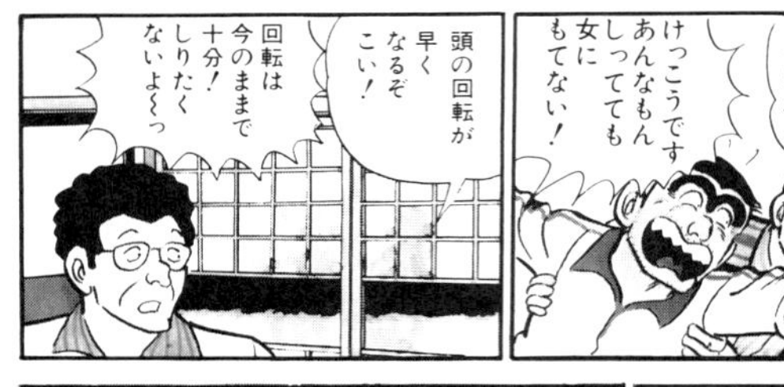
今まで相手がいなかったが3週間もあるんだみっちりしこんでやる
けっこうですあんなもんしってても女にもてない!
頭の回転が早くなるぞこい!
回転は今のままで十分!しりたくないよ〜っ

両津さんがきてからにぎやかになったわね

両津はもう寝たのか
ニュースです
そのようですよ朝早いからっていってました

さて…わしも寝るかな

また明日もあいつを鍛えんとならんからなははは

今夜は
お酒あまり
のまなかっ
たわね

あっ
シーッ

とても 眠れる
時間帯じゃ
ありませんよ
いいすか
おじゃまして
まあ
いいですよ
どうぞ

ようやく
好きな
テレビが
みれる!
パチ

おのみに
なります
あっ
トン

いやーっ
どうも
堂どうと
酒が のめるとは
思わなかった
お父さん
だけ
晩酌
するのは
ずるい
ですものね

じつは
お父さんも
よろこんで
いたのよ
今日は
えっ
部長が!?

★週刊少年ジャンプ1984年22号

改造人形コンテストの巻

うおっす
おはよう
HONDA

あら
ちょっと
やせたん
じゃない

部長の家に
数週間
いたんだぞ
身もやせる
思いだったよ

非番の日など
家にいると
囲碁の相手を
させられるから
買い物行くと
ごまかして
パチンコばかり
やってたよ
おかげで
給料 全部
つぎこんで
しまった

タダで泊まれるからお金を使わなくてすむっていってたじゃない
計算があまかった

金貸してくれ来月返すから
だめ！すぐ人から借りるんだから…

まったく不人情な女だよ
金くらい気前よく貸せばいいじゃねえかケチ！

何かバイトやらなきゃダメか！
自分の才能を生かした仕事はないかな

お巡りさんちょっと教えてほしいんだけど
ちぇっまたおまえらかよ！

この人形あとどうすればいいのかなあ
プラモ屋で聞けよ！そういう事はくそ！

ただ組みたてて色ぬっただけじゃねえか
うん

ポーズを
自分なりに
考えないと
いかんぞ
動きが
大切だ
出来の
80パーセントは
そこで
きまる
からな
服のはしっこ
なども
アルミホイルを
使って動きを
出すとか
色なども
一色でなく
光と影の
部分を注意して
ぬりわけんと
だめだ
ふーん
そういう
知識は よく
しってるわね
あたぼうよ
年季が
ちがうぜ！
尊敬
したか！
ピシッ
でも
実生活では
なんの
役にも
たたないわ
うるせえ
ほっとけ
！

おまえら
以前は ロボット
ばかり作って
いたのに なんで
改造人形など
作る気に
なったんだ
コンテストに
出すんだよ
賞金は
ないんだろ
どうせ
今回から
出るらしい
よ！
げっ
プラモ
コンテスト
賞金100万円
5月末日

こ
これだ！
才能を
生かした
金もうけ…
ライバルは
ガキだけ！
年を　ごまかして
出品すれば
入選できる

なるほど
すごい
賞金だね
今回は
松山兄弟も
出すらしいよ
！

なに！
あの
松山
兄弟か！
ザー…！

プラモ改造の鬼才とも
呼ばれる松山ブラザーズは
パテとプラ版が　あれば
なんでも　製作してしまう
おそろしい兄弟である
兄は　人形改造を得意とし
弟は　メカ　ジオラマを得意とする
モデラー界では「コンテスト荒らし
ブラザーズ」とおそれられている
うーむ
強敵だな

あの兄弟は
目の上の
タンコブだ
どういう物を
出品するか
知る必要が
あるな

きみ　松山兄弟
何作ってるか
しってる？
ううん

これから
松山君の家に
遊びに行こう
よいアドバイス
してくれると
思うよ
うん
いいよ
両ちゃん
どこ 行くの？
敵状視察
だよ
松山兄弟の手先は
生はんかな
器用さではない
なにしろ 自分の家も
プラ板を
つなぎあわせて
製作してしまうほどの
天才であった
松山
1/1の
ミニ
クーパーの
プラモ

うわさに聞く以上にすごい家だ
日本プラモ道家元本部
こんにちは
はい
弟・松山小春
日本プラモ道家
あの この少年がプラモの事聞きたいというもので…
いいですよ どうぞ
すみませんね!
いきなりシンナーのにおいが!すごい
タバコはすわないでください 爆発する可能性がありますから
私タバコやめましたもので大丈夫です
59.4.5
エナメルペイント
白

兄さん
入るよ
うむ
製作

製作室に
入る時は
このマスクを
使用して
ください
おそろしい
ところだな

うおっ

すごいプラモの数だな
7万個ほどありますよ忙しくてなかなか作れなくてね

兄さん少年達が遊びにきました
そうかちょうどいいひと休みしよう
兄・松山千夏
やあしばらくぶりだね
こんにちは
うーむすごくリアルだな

それはテレビをみながら左手で20分で作ったものですよ
なんと!!
おそるべき松山兄弟この作品を20分で作ってしまうとは…
両津は背中に冷たい物を感じた

うひゃ
本当に
つめてえ
すいません
接着剤の
1ℓビンが
こぼれてましたリットル
背中が
ベトベト
してるよ
ここに
あるのは
なんだ?
ガレージキット
といって
個人用に作った
プラモです
マニアに
おゆずりしています
見た事がない
モデルだな
だれなんだ
これは?
それは
ゴルゴ13シリーズの
「ラオスのけし」
の巻に出てきた
バーのバーテンを
立体化した
ものですよ
TZ250
KR250
CBせんむ
¥3,000
ガレージプラモ
そんなもん
わかるかよ
!!
ガレージ
キットとは
メーカーの
作らない
フィギィアを
製作する事に
価値が あるん
ですよ
より
マイナーなほど
人気が
あるんですよ

たとえば「巨人の星」にでてきた左門豊作
有名だぞ それは…
……の妹と弟のフィギィア
これがマニアの中で静かなブーム!
またウルトラQにでてきたカネゴンになる前のカネオくんのフィギィア
これがバカうけ!!
模型愛好家は根暗だとは思っていたが…ここまでマイナーな世界だとは思わなかった…
より リアルにより マイナーにがモットーです
漫画の中でウルトラマンなどのキャラクターを出す場合 版権だとか著作権だとかいろいろあってかけない場合もあるのですが……
メジャーなものもありますよ あの名作!8マンの後ろ姿!これもいい出来です
うーん ギリギリのアングルだな…
版権に かけては一番うるさいスーパーマンもあります…
おい!それは本当にやばいぞ!
ですから こっそり おみせ します ほら!
すごい 顔がリアルだ クラークケント まで ある!

すぐにしまいましょう!
すばらしい読者にみせられないのが残念!
これなど昔 なつかしい漫画にでてきた動物フィギィア
そんなもんあったっけ?
ロボット三等兵にでてきたトッピ博士が作ったロボット犬ですよ
今の子供がしってるはずないだろばか!
そんなもん日本中で50人くらいしかしらないよ!
その50人がたのしめればいいんですよこういう物は…
SFの元祖30代のナイスミドルが泣いてよろこぶNHKで夕方放映していた人形劇「宇宙船シリカ」のシリカ号もあります
おいおいNHKはやばいぞ許可とらないと…!
安心ですよ作者も幼いころみてたので形を はっきりと覚えてませんたぶんこんな風で…
そうだな覚えてるやつも 少ないだろう
ケペル先生もありますよ
どこがプラモなんだなつかしいだけじゃないか!
カチャ
カチャ
SUZUKI
GT750

ところでコンテストに出す作品みせてくれないか
いいですよ

兄さんちょっといいかい
ああいいよ

1/300の改造人形を製作する1/140の人を製作している1/35の作者の姿です

今回のコンテストのテーマが「精密さへのチャレンジ」ですからいいモチーフでしょう
うーむ 1/300の人形が笑っているところまで表現するとは……
R-380Ⅱ
YZR500
SEAKING MK-41

ぼくの作品はこっちで作ってるんです
どれどれ

一センチのリング上でブッチャーに四の字がためをかけられた北の湖を助けようとして出て逆にアントニオ猪木にコブラツイストをかけられ泣いているたこ八郎のモデルです

今回のコンテストは賞金もつきますからね自信ありますよ
ははそうね

おいチビたちそろそろ帰るぞ
えっもう

〆切は今月中ですからねがんばってくださいよ
はいがんばりますよ

数日後

よいしょっと!

ふう
なんとかふたりできた

さっきから
何やってるんです
先輩……
こら!
動いて
風を
おこすんじゃ
ない!
1/1000の
改造人形を
製作してる
ところだ
近づくな
プラモ
ですか?
てっきり
カビの
研究でも
してるのかと
思った
緊張して
ノドが
かわくなあ
いいか
その机に
近づくんじゃ
ないぞ
はあ…
おはよう
あっ
部長
早かった
ですね

会議が
多くて
まいった
よ!
ドン

はっくしょい!

どうも春カゼだな!
ズズッ
禁煙
部長どうも

さてと…
製作のつづきを…
ひとりいない……

中川人形なくなってるぞ!
ぼくはしりませんよ!

わしはさっき そこでくしゃみをしたが……
なんて事をまったく無神経な!

あの人形製作するのに5日間もかかったんですよォ!
人形なんてなかったぞ

だ だめだ………
1/1000のフィギィアをさがすのは不可能だ……

仕方ない 失敗作の 人形を ベースに もう一度作ろう
まったく もう
人形作ってるのか?
ちょっと 影に なりますから どいてて くださいよ!
昼休みだからな 干渉はせんよ
ぶわっくしょい!
人形の腕が折れちゃったじゃないですか もう!
いや! すまん すまん
ケーキ 買って きたわよ
〆切日が 近くなけりゃ 寮で作っても 間にあうけど くそ!
この悪条件の 中でも がんばって作るぞ 100万円のためだ!
サンキュー

あら
両ちゃん
何を……
ちょっと
だめだよ
近づくと
おこるよ
何か作ってる
らしいんだ
まあ
本当？
それじゃ
そお〜〜〜っと
まあ
いい風！
ヒュウウ
あっ

それでも賞金がほしい
という根性で〆切り日までに
作りあげたのであった！

てめえなァ
なんの理由で
邪魔すんだ！
おまえら
なんて
消えて
なくなれ！

★週刊少年ジャンプ1984年23号

東京の熱い一日の巻
新宿
甲斐バンドショー
甲斐バンドショー
コマ劇場初出演
夏の公演
ペリカン便
Koma
シ———ン

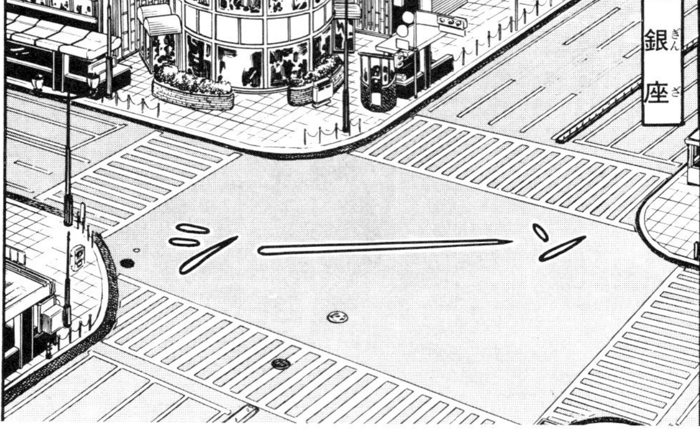
銀座
シ———ン

渋谷
TOKYU HANDS
東急本店
MINORI

中央線　西武線
東横線　小田急線など
大学生が多く住んでる
地区………

東京で　ひと山あてて
豪邸を建てた人が
多く住むS区

葛飾区　亀有

パパパパ！

ここ数日ずい分静かになったな！
旧盆の帰省でみんな帰っているんですよ

そういや署に出勤してくるやつが少なかったぞ
亀有商店街
今の時期東京で働いているのはわしら3人だけじゃねえのか?
そうかもしれませんよ!

じょうだんじゃねえやめだ!やめ!
仕事なんかしてられるかバカバカしい!

しかし事件があるかも……
東京にほとんど人間がいないんだからそんなもんあるはずない

みてみろ道路を!

車が全然通らないからカビがはえてる
まさか!

あっちい!
道路がホットプレートになってるぞ!

この暑さじゃ派出所ごとむし焼きになっちまうぞ
本当に暑いですね!
ねえ! 暑いといったら100円とる事にしない?
よし! その金でクーラーを買おう!
いいな! 暑いといったら金とるぞ
はい 100円
ちょっとまておい…
今 中川に「暑いゲーム」の説明で暑いといったら100円で暑いというなといってたんだ
もう300円!
ひきょうなやつだなくそ!
ルールはきびしいのよ!
いやあ寒いね寒い! 寒い!
こう寒いと熱いお茶でもいっぱい!

あっ しまった！
はい 100円
きたねえな わしひとりから まきあげやがって！
注意力が 散漫なのよ
よし 今度は 注意して しゃべるぞ
いやあ 寒い 寒い この分だと 山は 雪でしょう
カキ氷！ 寒いねえ アイスクリーム う〜〜さぶい 寒い！ まったく 全然 暑くないよ
100円！
ずるいぞ！ ちくしょう！ おまえらも 会話しろよ！
先輩の ひとりごとが 多いんです よ！
ようし わしだって 考えが あるぞ
このゲームは 口数を ひかえた方が 得なのよ
まったく 先輩は すぐ 本気に なるからな
子どもっ ぽいのよね

うーむ
寒い時は
これが 一番
あっ!
そんなもの
飲んで
あつ……
いった!
あつ
くるしく
ないかなと
思っただけ
ですよ
うまい
わ!
くそ~っ
しぶとい!
こうなりゃ
強行策しか
ない!
おっと
失礼!
あつい!
消火器

なんて事するの!?
ちょっと手がすべっただけじゃないか!
たとえとっさの時でもあつ……圧力鍋と叫べばペナルティにならんだろ!
100円よこせ!
ちぇっ
おっとっと!
あつい!
修業の足らんやつだわははは
はいもう100円
ずるいですよ!
あつ……み二郎(じろう)〜〜っくくくゥ南極(なんきょく)!海の底!アイスノン寒い 寒い
いうだけの事あるわがんこねえ
ジュ
ぐわっあつ…

もうよそう
このゲーム
我慢大会
みたいに
なってきた
そうだね

返すわ
600円!
わしの金
じゃないか!

それにしても
暑い!
サウナに
入ってる
ようだよ
風も
全然
ないしね

打ち水
しよう!
!?
打ち水

安上りで
日本古来より
庶民の
行う方法
である

それっ
景気よく
いけ!
ババババ

ジュウウウッ

なんだ! 全部 蒸発 してるぞ!
地面が 焼けて いるん ですよ
ジュウウ…

水道を 全開に しろ!
はい

ザザザザ

わはは まいったか 水のが 強い!
ザー

派出所も ついでに 冷やす!

中まで やる事 ないで しょう!
コンクリートが あったまって るから 暑いんだよ
ズザザザ

全体を
冷やせば
涼しく
なる!
ザザザ

どけ
どけ!
ドドドド
きゃあっ——

やった
大当り!
ドシャッ

げっ
部長!

派出所の中
水びたしにして
防火訓練でも
してるのか?
いや!
あまり
暑いので
ちょっと
打ち水を!

打ち水よりも
おまえの頭を
やき入れ
した方が
いいぞ
いやあ!
アバンギャルドな
ジョークを!

中川 何やってる 早く 水を止めろ！
はい

部長は てっきり お盆で 帰ったかと ………
先月 帰った ばかりだ

中川！ 麗子も ちょっと きなさい！
はい

心頭滅却 すれば 火も また 涼し！
また 始まり やがったな

私が 巡査の頃は 炎天下 3時間も 立番させられた ものだ！ 気合いが 入っていれば 暑くは ない！ たるんでるから いかんのだ！ こいつのように！
パン
あいたっ

住民が 暑くて 日陰を 歩いてる時 我われは 日なたを 歩き 住民が 寒くて 日なたを 歩いている時 日陰を 歩く 心がまえで たえず 盾と ならねば いかん！

暑い時は 我われも 暑いですよ 部長！

そこを
我慢しろと
いっとるのだ
バカモノ！
パ
ン
あいた！

とくに
中川と
麗子
近頃の
若者は
耐えるという
事を
しらな
すぎる！

両津が
何か 始めたら
おまえらが
止めなきゃ
いかんぞ！
この男は
前後の
みさかいという
物が まったく
ないのだから
くそ！
パン
パン

何が「くそ」だ
本来なら
上司である
おまえが
注意するの
だぞ！
ふあい！

気合いで
涼しくなるなら
クーラーなんて
売れるはず
ないだろ
ちくしょう
部長め！
ぼくらが
いけなかったん
ですから
仕方ない
ですよ
そうよ！

この前
飲みに行った時
部長が
おまえの事
いってたぞ！
え!?
中川のやつ
金持ちを鼻に
かけて
生意気な
やつだ！
わしより
金持ちは
許せん
いつか クビに
してやる！

えーっ本当ですか!?
部長とは20年もつきあってるが裏表が激しい男だ

両ちゃんの作り話じゃないの
ち ちがう 麗子のことだっていってたぞ!

麗子はうるさい女だ ブスで性格が悪く生意気だ!
金持ちを鼻にかけてとんでもない女だ 金髪の軍人にだまされて結婚詐欺にあえばいいんだ

そんな事いったの!?
そう! かなり根にもったいい方だったぞ

失礼しちゃうわね!
うーむ 部長がそう思っていたとは……
だからさ 3人で復讐しようぜ
いい方法があるからちょっと耳を かせ!

それじゃ部長 夜勤がんばってください
おまえにいわれなくともわかっとる!

そうそう
部長
しってます
か!?
なんだ!?
この派出所が
建つ前
この場所が
なんだったか
?
いや
しらんが
………

墓場だったん
ですって
ここ!
成仏
できない仏が
よく 現れる
らしいん
ですよ
お盆の
今頃が 一番
でてくる
らしいん
ですがね…

じゃ
私は
これで!
本当に
ここ墓場
だったん
ですか
さあ
そこまで
わしは
しらんが…
これで
バッチリ
あとは
夜の
お楽しみ

幽霊なんて
この世におらん
心配いらんよ
そ
そう
ですね
ははは

ぎゃあーっ
でた！
どう
した！

やった
やった
大成功！

次は
本命の部長を
おどかすぞ
火の玉作戦
！
はい！
よし
ついて
こい！

ずっと
考えていたの
だけど………
部長 本当に
あんな事
いったのかな？
冷静に
考えると
信じられない
気が するわね

聞いたと
いってるのは
両ちゃん
ひとりだけ
でしょう
そこが
一番
ひっかかる
ところ
なんだよ

何かの
見まちがい
じゃないのか
?
本当に
みたんです!

うわっ
火の玉だあ
うっ

さがってろ
だれかの
イタズラだ
!

うら…
めしや……
ぬっ

めーん
あいたっ
!!

でえいっ
たあーっ!!
あいてて!
バ
シ
ビシ
プッ
ポ
ト
ぐわあ!!
いてっ!
うわっ
火が!
あちちちっ
助けて
くれ~~~っ
あっ
両津!?
なんの
マネだ
これは!

★週刊少年ジャンプ1984年37号

路地裏物語の巻
REIKO.A
SUZUKI
bimota
SUZUKI
SB2
SB2

えっ
駄菓子屋のバアさんがわしに会いたいって

いくら私が年増好みだからってなんであんなバアさんなんか
とにかく一度きてくれといってたぞ

近頃 駄菓子屋に買いにいかなくなったからな
そのために店がつぶれるって事でもないだろうな
甘栗
次朗
うすねくん印

ここの家だけ
昭和30年代で
止まってる
からな
ハウス
印度
カレー
コリス
ガム
みかん

おーい
バアさん
いるかァ!?

ドロボウが
入っち
まうぞ
おい!
といっても
かっぱらう物は
何もないな
この家じゃ

あっ

やばい！バアさん とうとう くたばっちまったぞ！
めんどうな事になったな 早く 葬儀屋に…

まだ生きてるよ……
なに!?

ちょっと熱っぽいんで 横になってただけだよ
まぎらわしいマネするなよ やたら 横になるんじゃない！

本当に熱あるのか？
大した事ないよ

ちょっとまってろ！

まったく なんで わしが ホームヘルパーまで やらなきゃならないんだ
ザー

ほらよ これで いいか
すまないね 両さん

この家はバアさんひとりっきりだろ やばいぞ 区役所に相談してボランティアにでも手伝いにきてもらえよ
家内安全
まだまだ大丈夫だよ 元気だから

ところでなんだ? わしに用事って?

近頃売れゆきが伸びなくて困ってるんだよ
この店じゃ無理ないよ

今時10円 20円で商売成り立ってるほうが不思議だよ
時代が変わったからねえ

いっそ この店ぶっつぶしてコインランドリーかゲームセンターにしちまったらどうだ!
そうすりゃ放っといても金が 入る!

この店つぶすのしのびなくてね なんとかならないかね 両さん
この状態で売り上げ伸ばすのか…むずかしいな

もし売り上げを上げたら10%わしにくれるか?
そのくらいならいいよ

ようし! 引き受けた
このオレがなんとかしてやる

するとしばらく勤務は休むというわけか?
はい この店の売り上げ向上のため

部長が常日頃からおっしゃる地域住民とのふれあいです
うーむ

先輩は商売に関して才能がありますから任せたほうがいいですよ
それもそうだな

制服じゃないほうがいいんじゃない？
その姿じゃ問題があるな

じゃあどんな姿すりゃいいんすか!?

うむやっぱり駄菓子屋にはそのスタイルが一番あうな
先輩ぴったりですよ

まるで青島幸男のいじわる婆さんじゃないか
じゃがんばってやるんだぞ

ま いいかとにかく売れればいいんだからな

両さん具合よくなったから手伝うよ
いいからいいから全部わしにまかせろ

まず つぶれた
ゲームセンター
からもらってきた
ゲーム台を
店頭に並べる

古いプラモ
なんかも
セットで
売って
しまおう
このほうが
効率がいい

そして
これを
タダで
やらせる
ガキを
集める
エサだ
無料

駄菓子大セール
よし
なかなか
活気が
でてきたぞ
!
営業中
おたのしみ袋 100円
ピキョ〜
ピキョ〜
ピキョ〜ン
無料
プラモ大特価
活気のある
駄菓子屋
ってのも
珍しいな

こんな鼻クソ
みたいな
おもちゃ
ひとつひとつ
売ってたら
気が　遠く
なるな

袋づめにして
ひと袋
100円で売ろう
ガキとは
だまされる
ために存在
するものだ
ザラ
ザラ

この店
ありそう
だぞ
よし
ストップ
キイ
新装開店
おもちゃ屋
ショップ

すいません
ブリキの
おもちゃ
残って
ませんかね
バタッ
倉庫
さがして
くださいよ
ねっ

バアさん
ブリキの
おもちゃ
あるかって
……
よく
きかれ
るんだよ
ねえ

バケツや
洗面器
くらいしか
ないねえ

ブリキなら
なんでも
いいんだろ
おまえら
……
そりゃ
もう
くっ!
やった!
やはり
あった!

いいの
かい?
上等だよ
あいつら
みたいのが
下町の
おもちゃ屋
荒らすん
だからな

す
すごい
そんなに
いっぱい!
ガチャ
ガチャ

50年代のブリキの品だからね…ちょっと高いよ
そりゃもう十分わかっております

まあこのくらいはもらわないとね…
ピーッ
一万円ですか
はい!けっこうです

やった大量だ!
やはり葛飾区は残っているなあ!

えっあのバケツが一万円で!?
わしは100円のつもりだったんだが太っ腹の青年たちだ

おっそうしてる間にガキがアミに入った
ミルキー
グリコ

やあきみたち何か買わないかい?
お金ないも〜ん

そういうきみたちにこれがある!
RCカード
12568
両津クレジット

現金を持ってなくてもこのカードがあれば三千円までこの店で買う事ができる
へえーっ
かっこいい！

おとなの世界はカードが常識！
今や現金でプラモやお菓子を買うなんてダサイ！時代遅れ

'84年は これ！ヘイ！おじさんこれでよろしく！
かっこいい！

今このカードの会員になると店の品全部1%引きの大サービス
わーっすごい！
ぼくも！

全品1%引きだってすごいね
まってよ1%っていうと…100円で1円…

はい はい住所と名前かいて！
支払いは月末だからねわかってるね

たった1え…わっぷ
はいはい そこのガキ あまり計算しないように！

えーと これでいくらかな… 50円の… 30円で…
どうかしたかね

きみィ!!
男だったら細かい計算せずどーんと買ってしまおう！
ドン

よしっ これ 全部つけておいて！
よし！いい買いっぷりだ えらいぞ！

きみも悩まずポーンと買おうね
ポン
うん わかった

全品1%引き大サービス さあみんな思いっきり買おう！

ずいぶんにぎやかだね いったいどういうわけだい？
だから任せなさいっていったろ まだ まだこれからだ！

両津商法は　当たった！
ほしくなると我慢のできない
現代っ子の心理を　ついた
カードシステムは　口コミで
次つぎと会員を集め350名に達した
また　プラモ無料製作指導
おもちゃ修理などの
アフターサービスもヒットの
要因であった
ソーダラップ

売り上げ向上の
もうひとつに
スーパーのように
カゴを用いた事もある
ご利用下さい
両津ストアー
ゲーム
かるた
へい
いらっしゃい
110番さん
ですね
お楽しみ袋
ひとつに
コンピューター
ゲーム……
しめて
三千二百円ですね
カウンタアー
ココヨ！
つい　余計な物まで
買ってしまうという
ところを　うまく
利用した

そろそろ在庫がなくなってきたな
だいぶ売り上げがいいからね
ちょっと留守番しててくれ仕入れにいってくる
えっ
おもちゃ問屋どこにあるかしってるのかしらねえ
毎度おなじみリサイクル業のおばちゃまです
ご家庭で使い古したおもちゃ人形などございましたら多少にかかわらずおもち下さい
すみませーん
へい!
これお願いできますか?
はいはいけっこうです

はい キューピー人形ひとつ
すみません

お願いします
本でもいいかしら…
けっこうですよ

助かるわ すてるところなくてね
そうでしょ!
はい 多いからキューピー2こ!
両津部

ビクラ
石鹸

これ 全部もらってきたのかい?
この中から売れそうなやつは 直して売っちゃうんだよ!

あきれた人だね
生活力のある人といってくれ

おもちゃなんて直せば 何年でも使えるんだ
昭和初期のおもちゃだって まだ 残ってるんだぞ

こっちのおもちゃは直さないのかい！
そこのは売るルートがちがうやつ

ルートが？どういう事だい？
バアさんは考えなくていいの！まかせておきな

古いおもちゃなど
なんでも高く買います
ビリケン

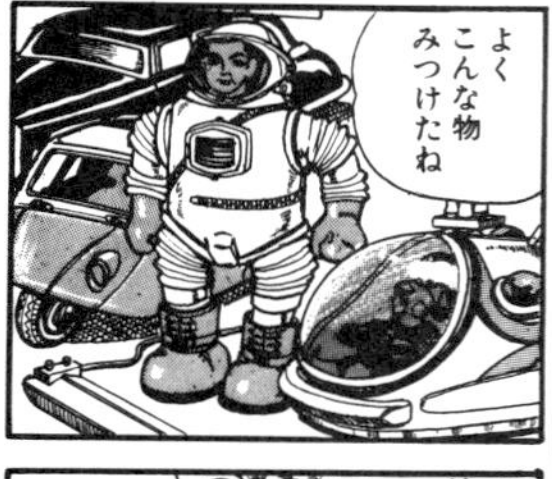
よくこんな物みつけたね

北海道まで捜しにいったんだぜいい値で買ってくれよ
うーむそうだな

このくらい出してくれよなっ
えっそんなに!?
じゃこのくらいなっ！手をうてよ！

へっへやったね
次は本だな

古書買入
正木書店
(444)5678
高価買い入れ・漫画!ポスタ
正木書

これはすごい
おもしろブック
日の丸
少年

九州でみつけた品だよろしくたのむぜ
よくありましたね…

お客さんこ このくらいの値でどうでしょうか?
だめ!
もう少し色をつけてくれよダンナ!
COM再版!
復刊

スパパパパン
ポンポン

なんだと!?
子供がクレジットカード使ってるだと!?

金額が たまり払えなくなってサラ金に借りてる子もいるそうです
バカな!いったいどこでそんなカードを使ってるんだ!

出先が どうも…
先輩の
駄菓子屋
らしいん
ですが……

ダ!!
次から
次へと
まったく
!

よしおクン
きみ
今月の
支払い
遅れてるよ
明日までに
耳を
そろえて
もってきな
キッ

両さん
その子
何かしたの
かい?
あっ
いや
別に
何も
ないよ

おまえらの
カードも
焼きついてる
んだからな
払えなかっ
たら
36回ローンに
するから
払えよ!

あれ
キイ
KC庁

★週刊少年ジャンプ1984年12号

脱皮(だっぴ)!の巻(まき)

外国の島に旅行してきたのか?
そうなの これ部長さんにおみやげ

ほう 黒サンゴのタイピンセットか…
いやあ すまんなァ

ふたりともずいぶんと焼けたじゃないか

先輩とくらべたらかないませんよ
なに！両津もいっしょだったのか？

どうもこんにちは!!

いやあ日本の夏はジメジメしてかないませんな！
なんだその姿は!?

朝一番から日が沈むまで毎日体焼いてましたからね現地の人とまちがわれてましたよ
なんてやつだ！
私が先日いったグレートバリアリーフ
日本とちがいカラッとして湿気がありませんからね全然！

海は
エメラルド
グリーン
空は
ぬけるような
コバルトブルー
日本の
海などは
エメラルド
グレー
アキカン
ゴロゴロ

一番電車で
ボードを
運んだり
早朝の場所とりに
命を　かける
せこい日本の
若者たちに
みせてやりたい
ですよ
タダで
ついていった
くせに……

実際
日本の海じゃ
泳げませんよ
外国の海が
肌にあってる
とでも
いうんでしょう
か……
おまえには
行水が
一番　似あってるよ

先輩
うおっ

バカヤロウッ
気安く
さわるな
まだ
痛いん
ですか

サンオイル
ぬらないで
焼くからよ！
完全に
焼きあがって
から
いったって
遅い！

裏表
まんべんなく
焼いたから
ゆうべなんか
真横になって
寝たんだぞ
そこまで
して
焼くこと
ないのに！

体焼かないと海いった証拠がないだろ！
証拠を作ってどうしようというんです？

うーむやはり外国で焼くと色が　ちがう美しい！
この色は日本じゃだせない

おい両津！
ぐわっちょっ
ポン

体中ヒリヒリしてるっていってるでしょう！
どうだわしのみやげをたべんか…

…………まんじゅう
お盆の帰省でな！いやあこんでいたよ
益子焼まんじ

部長！あなた海外にいった事ありますか？
いや一度も
コト

なんたるカルチャーギャップこれだから考え方が　狭いもっと広く世の中　みなきゃ現代を　生きてゆけませんよ

私など
自慢じゃ
ありませんが
アメリカ
サンフランシスコ
ロスアンゼルス
米国………
四か国に
在住した事が
ありますから
西洋の
カルチャーが
頭の中に
つまって大変
つい
会話の中にも
エレキテル
パーマネント
などの英語が
ポンポン
でる始末!
我ながら
おそろしい

つい 先日も
中川を連れて
海外バカンスを
エンジョイして
きたという
のに………
上司たる
部長が
お盆の
帰省で
墓まいり…
なんたる
ことです!

そして
ダメおしが
この
まんじゅう
なんで
夏に
まんじゅう
たべなきゃ
なんないん
ですか!?

みやげに
まんじゅうを
買ってくるのは
世界で
日本だけ
ですよ
麗子は
あなたに
何を
おみやげに
あげました
?

黒サンゴの
タイピン
セットだが
………
それです!
その
国際的
気配り!

サンゴは
いった島での
物産で貴重品
男性ならタイピン
セットは必需品!
派手でないから
中年にピタリ!
黒サンゴは
冠婚葬祭すべて
OK!
まさに 部長に
あわせた
おみやげ品!

それなのに部長のおみやげは「まんじゅう」
老若男女だれにでもあげられまた 日本全国どこでも売ってる安く 箱ばかり大きいオールシーズンまんじゅう
30個もたべるのに5日はかかりますよ
タイピンセットなら 外人でもよろこびますが！
まんじゅうあげてよろこぶ外人がなん人いると思います？
麗子は私のように外国へよくいき舶来センスがあるからみやげひとつでもちがいがでるのです

せめて世界まるごとハウマッチでも見て国際センスをやしなってくださいよ
部下として恥ずかしいから！
うーむ口先だけは達者なやつだ！
評論家みたいね
中川今月分千円払うよ
え？

いいんですか？本当に！
男の約束だからな！
おい！
ポンッ
ぎゃあっ
痛いっていってるじゃないですかァもう〜〜っ
!!
おまえまた中川から借金してるのか？
い…いや別に！
ボーナスもらったばかりだろうが！
借金といったって微びたるものですよ！
なあ中川くんねっ！
中川いくらなんだ？
57億円です！
ご……57億だと……
沈没船の金塊を引き上げるため使ったんです
結局なかったんですが………

キッ
だ
だから
返して
ますよ
月千円ずつ
問題は
ありません

何が
問題ない
だ!
ドス
あいたた
押さないで…
背中が
痛いって!

月 千円で
いつに
なったら
57億円
返せると
思ってるん
だ!
多少
時間が
かかりますが
かならずや
きっと!

十万年以上
かかるんだぞ
払えるはず
ないだろう
が!
いたたた
背中が
痛い!
ぎゃあ
〜〜〜っ

すいません
大原さん
ちょっと

部長
よんでますよ
ほらっ
あの人
うぬっ

何考えて
生きて
いるんだ
こいつ!

ばれちまったちくしょう
自業自得じゃない!
なんだとてめえ一発………
ぐがぎべばごば……
じ〜ん
はむかうと洋ガラシぬっちゃうわよ
こ……このアマァ〜〜〜
ヒリ
痛みがとれたらぶっ殺し……
おい両津!?
ふんぎゃあ——っ
ギュッ
部長さん下!
おっとこんなところに!?

すまん
真っ黒で
みえなかった
踏めば
すぐ　気が
つくでしょう
ふつうは！

あーあ
背中の皮が
強制的に
むかれ
ちゃった！
今夜
子ども会で
映画会を
やるらしい

おまえが
警備に
いってくれ
ちぇっ
子どもの
おもりか…

地味な
仕事だな
いきなり
南の島の
パラダイスが
夢のよう
だよ

この
位置で
いいか？
OK！
固定して
くれ！

うおっす！
あ
ご苦労さま
です！

屋外
映画か
なつかしい
な！

何やるんだ
ゴジラか？
クレイジー
キャッツか？
それとも
駅前シリーズ
か？
これ
ですよ

うーむ
あまり
みたくない
映画だな…
君たち
名もなく
まずしく うつくしい
エリマキトカゲっ子だね
愛と感動のドラマ
小学年向き
おじさん
真っ黒だね
インドの
人なの
よけいな
お世話だ!
こら
木から
おりろ
こいつっ!
コアラ
ごっこ
不時着!
いでででっ!!
ぎゃああ
ああん
なにも
投げる事
ないでしょう!
ばかっ
体が
すりむける
ところだぞ!!
いてててちくしょう
日焼けと
いうより
全身やけど
だなア……
こりゃ!

お巡りさん
花火やってよ
花火！
もう
映画が
始まるぞ
集まれ！

ねえ
やってよ
ね！
こらっ
わしに
さわるな
わかったよ

時間節約の
ため 全部
まとめてやる
すぐ
おわるから
よく
みとけよ！

わあーっ
やった！
何が
なんだか
わかんない
パチ

うわっ
あがった

あっ
やばい!!
きゃあ
——っ
きゃっ

なんてこと
するんです
お巡りさん
！
悪い！
悪い！

これじゃ全然うつせないよ
どうしよう

ゴザがあったこれを 代用しよう

ちゃんとうつりますかね
大丈夫なせばなる！

えっ!? 8ミリの音声がでないって!?
花火の時倒したせいだと思うんだけど

よしわしが吹きかえやってやる
えっしかし！

わしはこの映画 一度みた事あるまかせろ！
それじゃお願いします

さておまちどうさま
今夜はお巡りさんに解説をやってもらいます
君たち
名もなくまずしくうつくしい
エリマキトカゲ子だね。
パチパチパチ
パチパチパチ
ジジジ

この少年が物語の主人公ダニエルモナムーチョくんです
ダニエルくんは山でヘルパーをしています
この日も錦糸町で一杯ひっかけて家に帰りました

家に帰るとみんながいきなりなぐりかかりました
そうです!
ダニエルくんはスタントマンだったので訓練をしてたのです

今日も家族でたたいてくれてうれしい…思わずうれし泣き!
そうです!
ダニエルくんはマゾヒストで変態なのですこわいですね——っ

ダニエルくんは
冬山で
体を
きたえる事に
しました！
オリンピックに
出場して
有名に
なりたい！
そして
歌手になって
ディナーショーで
金を　稼ぐんだ
かれは　心に
誓いました！

かれは
夢が　かなって
政治家に
なりました！
そのとたん
家族は
ダニエルくんの
いう事を
きくように
なりました
豪邸は
建てるわ
BMWを買って
六本木にいくわ
東京ディズニーランドへ
いくわ
ぜいたく三昧！

やはり
金だぜ！
なんだ
かんだ
いおうと
世の中
金だ！
人間なんか
信用するものか！
金が　俺の友だ！
とダニエルくんは
朝日にむかって
叫ぶのでした

はい！よかったですね みなさん
ガヤ ガヤ
やっぱり お金かあ
ガヤ ガヤ
お金って大事なんだね

映画と全然ちがう吹きかえじゃないですか！
ガキのころから現実をみせた方が本人のため！夢や希望は元から断たねばダメ！
ハイ今日の映画会はおしまい！
さあ帰った帰った！
しっ しっ
翌日
うおっす！
おはよう
まだ痛いの？
少しおさまったけどな
皮が少しむけてきやがったよ

あっ部長どーも

昨日の映画会メチャクチャにしたそうだな
とんでもない！子どもたちはよろこんでましたよ！

子どもたちの親から抗議がきてるぞどうする気だ
いいや！あれは……未来の現実をシビアに！

おとなへ脱皮するための教育とでもいうのか！
そうその通り脱皮です！

おまえもいっしょにおとなへ脱皮させてやる
いたたたひいいっ
勘弁してくださいい〜いたたたっ
先輩の場合何枚はいでもおとなにはなれないな
キャ
キャ
わあ
わあ

★週刊少年ジャンプ1984年35号

両津刑事！の巻

えっ 先輩は 昔 刑事を やってたんですか!?
数か月 だけだが 刑事課に いた事がある
へえ 信じられないなあ！

若い頃の両津は 犯人検挙率が よかったからな 今じゃ 犯人が 目の前通っても しらん顔 している！
そういえば 先輩 さっき 自転車で どこか でかけていき ましたが……

そうか！ 今日は やつが 刑事時代 上司だった 南部さんの 命日 だったな

へえ すると…
墓まいり？

南部家之墓
とうとうおない年になっちまったよ南部さん

俺の方は相変わらず元気でやってる心配いらないよ
けっきょく一度もいっしょに酒飲みにいかなかったけど……

南部家之墓
ここでサシで飲もうや!

もうあれから20年か…

昭和39年 夏
カバヤ
食料品
サッポロビイル
八百屋
たばこ
水天宮
3312
21

まてーっ
しつこいお巡りだくそ!
東京オリムピック千円
小便禁ズ

うわっ
ガ
ガシ
ちくしょう負けるか!
ガリ
ガッ
つかまえたぞ!
この若僧め!
あっ
グイ
いい加減にしやがれ!!
貴様に俺様がつかまえられると思うのか!
身のほどしらずが!
ドン
ガン
ガン
ふう1時間も追いかけてきやがってまったく!
カラン

まだ
まだ!
ガラ
ガラ
なに!
これで
どうだ!
ガチャ
あっ!
やった!
もう
逃げられ
ないぞ
このガキ!
手錠を
とれ!
このやろう!
ガゴン
カギを
だせ!
早く!
ない!
さっき
飲んでしまった
なんだと
吐きだせ
こいつ!
ガッ
しまった
近くまで
きやがったな
ウマキラー
イチコロ
紅梅キャラメル
TOKYO
1964

ぐずぐずしてるとやばい！あっ
ギクッ
だめだ逃がさないぞ！

まだこいつがいやがったんだ！
ガン

おまえを連れて逃げるわけにいかん！
どうする気だよ！
防火用水

おまえに死んでもらう！
うわっぷ
ザブッ

近くに線路あるからなそこで手錠をきる！
これでおまえともお別れだ！
プクプク

片岡！もう逃げられんぞ！
あっ

くそ！こんな若僧につかまるとは！
ふう！あと一歩で本当にあの世へいくところだった！

コンバットばかりでなく、NETのギャラントメソも見よう ひょっこりひょうたん島もおもしろい。
えっ 両津が刑事課に配属!?
まだ新米ですよ あいつは!
しかし犯人の検挙率がダントツトップなのだ

今月に入ってもう 3人目だ 先日は大物の「イダ天の片岡」をつかまえた
コソドロ仲間じゃ 一度 追われたら逃げられない「ガラガラヘビの両津」と有名らしい
しかし…ふだんの勤務はムチャクチャですし……
いい加減でだらしなくて短気 短足 単細胞 馬力だけですよ あいつは……
そのガッツを刑事課長が気に入ったという事だ!
羅宇屋
浅草

パパパパン

えっ
私が来週から
刑事課に
いくんですか
!?
そうだ
交番勤務は
今週までだ

やった
刑事だ
かっこいい
これで
内勤づめ
だ!

そんなに
うれしいか
ここを
出るのが…
いいえ!
それは…
その……

さみしいなあ…
大原先輩と
はなれるのは…
ううう
うれしい…いや
さみしい!
目が
よろこんで
いるじゃ
ないか!

石鹸
化粧品
たばこ
女工募集
特価
80円

警視庁

刑事課

おはようございまーす
両津でーす
ガタッ

おっきたな!

紹介しよう今日からこの課に配属になった両津だ
皆さんよろしくお願いしまあす

南部!
はい

この両津とコンビを組んで捜査にあたってくれ
よろしくな
どうもよろしくおねがいします
おまえのうわさはきいてるよ！
これはどうも！
さっそく仕事だいくぞ！
はい
さっそく事件ですか南部さん！
まあな！
オデオン座
脱線三銃士
由利徹
南利明
八波むと志
他
9月3日〜
新妻鏡
9月23日
海よ俺らの歌に泣け
リッカーミシン
ジンタンガム
キヨハラ
スミ
ホルモン
新東宝
痛快
爆笑
感涙
次回上映
エノケンのびっくり捕物帖
柳家金語楼
トニー谷
千葉信男

でも
刑事って
かっこいい
ですね
毎週
「七人の刑事」
みてますよ
実際は
ドラマの
ようにいかんよ
私服より
制服の力が
あるからこそ
犯人検挙に
つながるんだ

交番勤務
なんて
かっこ悪い
ですよ
友だちに
会うたび
みっとも
なくて!
かっこで
警官を
やるのか
おまえは!
いててっ
TOKYO
1964

おっ
太田黒組の
梶だ!
こんな
ところに!
えっ

急いで
署に
電話しろ
はい
ブリヂストン
オートバイ
なに!?
消防署に
連絡して
どうするん
だ!?

南部さんが火事だっていうから…
組頭の名だおまえというやつは!
この刑事さんに10円貸したんですけど…
バカ!10円玉はたえず携帯しておけ!
太田黒組の容疑がかたまって逮捕状がとれた!
しかし肝心の組長が姿をくらましている!
聞き込みで一刻も早くやつの所在をつかんでほしい!
キスミー
口紅

太田黒きますかね？
わからん

もう 外国に高とびしちゃったんじゃないですか？
そうかもしれん

じゃ ここで待っててもムダじゃないですか
！
そうなるな…

しかし可能性が 1%でもある以上それに賭けてみる価値は ある

でも今日で3日目ですよ

聞き込み張り込みは刑事の基本だ もう少し待つ事にしよう

ちぇっ ちっともかっこいい仕事じゃないいな
これなら派出所に座ってた方がよかったよ

でも 南部さん どうして 太田黒が ここに くると 思うんですか？
この家には 金が 隠してある
それを おいて 国外に 逃亡するとは 思えないからな
ガロロロロ
む あの音は!?
ビュイックだ やつの車だ!!
キィ
やはり 現れた!
いくぞ!!
はい!
ダッ
太田黒!
ガッ
賭博容疑で 逮捕する!
くそっ しまった!

刑事(デカ)め！
チャキ
ひっこんでろチンピラ！
ドゴッ
すすごい！
ぐわうっ
ズキューン
ガッ
両津！短銃をとりあげろ！
ぐわっ
組長！こちらへ！
南部さん！
俺にかまわずやつを追うんだ！

でも でも
こんなに
血が……

やつを
ここで
逃がしたら
もう 2度と
つかまらん
ぞ!
ゆけ!
両津!!
ダッ
うわっ
くそ
くそ
くそ!

くそ
――っ

あっ
組長!
ドテ

ぐわっ

ちくしょう
このやろ
このやろ
ポカ
ポカ
ポカ
ポカ
撃ち
やがって!
ちくしょう

頼りに
なる……
やつだ……

犯人は　つかまったが
南部さんは　その傷が元で
2日後　亡くなって
しまったんだ

その後
あいつの希望で
また　外勤に
もどってきた
わけだ

どうして
刑事をやめて
しまったん
ですかね?

わからんな
しかし……
わしに
とっては
投げた手榴弾を
投げ返された
気分だよ!

キキキキィ
ドドォ
ガガ
ッッ

あいてててまたブレーキがこわされちまったよ!
仕事抜け出してどこへいっていたんだ!
ええちょっとやぼ用でして!
ガチャ
あーあこりゃフレームがいっちゃってる直しようがない!
部長! 新品の自転車購入してくれるよう署にいってくださいよ
けっきょくおまえの私物になってしまうからだめだ!
私物だなんてとんでもない! 公共の備品として大切にかつ愛情をもって丁重に乗らせていただいてるんじゃないですか
私は自転車警官の鑑ですよ!
南部さんのかわりに両津が死んでくれた方がどれだけ世のためになったかわからんよ

★週刊少年ジャンプ1984年40号

春の舟遊び!?の巻

なに
船上パーティー
だって!?
そうです
部長たちも
先に
いってますよ

うちの会社の船が
一年ぶりに
東京に
きたんですよ
ほう
中川の会社は
舟まで
もってるのか?

いいねえ
わしも屋形舟で
一度 舟遊びを
してみたかったんだ
そういう
舟じゃ
ありませんよ
じゃ
ゴムボートか?
あそこで
パーティーって
のは ちょっと
……
港に
つけば
わかり
ますよ

ここです
キイ

おい！この船の中でパーティーやるのかよ

まるでポンポン大将じゃないか…
部長たち本当にきてるのか？

何してるんですこっちですよこっち！
えっこれとちがうのか？

どこにあるんだよ中川の船は?
これですよこれ
これって壁しかないじゃないか
うおっ

上をみてください

こんなでかい船かよ!

世界を旅する船ですからねりっぱでしょう
まるでビルみたいだな
これで東京湾巡りをするんですよ

ふだんはお客様用ですが今日は貸し切りですよ
そりゃ豪勢だな

よう 両津おそかったな先に始めてるぞ
いやあ皆さんおそろいで!

おっ
すごい
ごちそうだ
やった!

出港の
お時間
です
よし
頼むよ

ボオオオオ

ザザザ

いやあ
豪華船で
飲む酒は
ひと味ちがい
ますなあ
こういう
機会でないと
このような船には
乗れんよ

中川
船の中を
案内して
くれよ
いい
ですよ

どうぞ
乗って
ください
!?
車で
いくのかよ

なにしろ
広いですから
歩いてでは
大変ですよ
そういえば
そうだ
ルルルル…

ここは
ずいぶん
日本的だな
京都みたい
でしょう

この船は
外国人の方が
多く利用して
ますからね
この中で
日本見物も
できるように
したんですよ
船の旅は
なんか月も
かかります
からね
ここが
ディナー
ルームです
外にテニス場
スキー場
映画館
コンサートホール
なども
ありますよ
遊ぶ事には
不自由
しないな!

こんな
りっぱな
広いところで
メシを
たべるのか
食事も
楽しみの
ひとつです
からね
室内モトクロス
場もあります
このエリアには
病院や銀行
デパートなど
ほとんど
そろって
ます
ちょっと
した町
だな……
スーパークロス
みたいだな

ここがこの船の操縦室ですよ
ずいぶん小さいな
ほとんどがコンピューターシステムですひとりでも動かせるほどですよ
そいつはすげえ
いやあ 部長この船はすごいですよ金持ちになった気分ですな
本来ならおまえなんか甲板みがきだぞ!
春の旅行はこの船でエーゲ海にでもいきますか? 部長
最高だないい部下をもってしあわせだよ
それとひきかえ両津はなんの得にもならん
なんて事おっしゃるんですか
私だって東京の下町案内やザリガニのとり方キリギリスの飼い方正しいベーゴマの回し方糸巻戦車の作り方などあふれる才能を生かし…
わかったわかったおまえも役にたってるよ!
本田バイクでその辺散歩にいこうぜ
えっバイクでですか!?

いえい いけーっ
大丈夫 かしら あのふたり
ガオオオオ
両津だけ ふり落とされて 東京湾の もくずとなって くれれば もっと しあわせ なんだがな
縁起でも ないわよ もう
やっほーっ
ガオオオオム
ダッ
スリルが あって 最高だぜ!
そうだ! もっと いけーっ
ちょっと ストップ
ギイイ!

この船の船長にちょっとあいさつしてこよう
え?

やあご苦労さん!

大変だねあんた方も
なーに自動操縦だから楽だよ

いきたいところをコンピューターにインプットするだけだからね
ほうなるほど

そうだ今さっき中川が外でよんでたぞ
えっおぼっちゃまが……

うそだよ!
うわっ

やった一度大型船を操縦してみたかったんだ!
どうする気ですか!?

この船で隅田川下りするんだよ
そんな事だめですよやめましょうね!
すみだ
おまえも外に出てろやかましい!
あっ
なんだって!?
両津が船を動かしてるだと!

操縦室をロックしてしまってどうする事もできませんよ
川下りやるんだっていってるんだよあの人!
ばかなそんな事できるものか!
大変!もう隅田川に入ってるわよ!
なんだと!!

おーい
そこの橋を
上げろ!
何ばかな事
いってるんだよ
こんなに
混んでいる時
に!
うわっ

開かぬなら
このまま通ろう
勝鬨橋

〈注〉勝鬨橋＝以前は貨物船通航のため、橋の中央が開閉した珍しい橋である。
現在では閉鎖されている。

その船ただちに停船しなさい
命令に従わないと……
うるせえな気持ちよく川下りしてるのに!
思いしらせてやる!
必殺ローリングクラッシュ
ガガガ
うわっ
ひゃあーっ
ズザザザ
わはは正義は勝つ!
ボオオオ
なんて船だ!

暴走船は
ただ今
永代橋も
こわし なおも
ばく進して
おります
まるで
荒れ狂う
クジラの
ようです
浅草のオヤジの
ところまで
船でいって
びっくりさせようと
思ってるだけ
なのに…
なんで
こんな
マスコミが
集まるんだよ
ただ今
カメラが
操縦者を
とらえました
バババババッ
やかましい
このやろう!

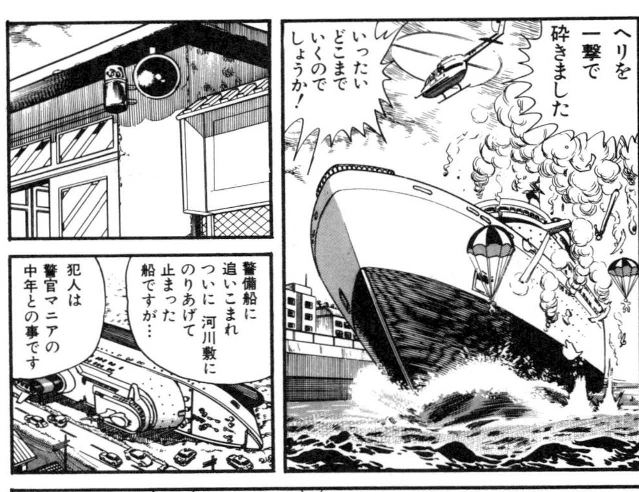

★週刊少年ジャンプ1984年15号

ボク トーダイの巻(まき)

やあ
きみたち！
おはよう

今日も
元気で
仕事しよう
ポン
人間
働く姿が
一番
美しい！
ははは

ばかに 陽気だな？
連れあいが
亡くなって
生命保険でも
入ってきたのか
ちがう
わよ……
今日 新人が
くるのよ
東大卒の
超エリートの
人が！
なに
東大？

東大って野球の弱い大学だろ なんでそんなとこ出たやろうがエリートなんだよ
ここはぼくがかわるよ…

ふつう 東京大学出て国家公務員上級を通り この組織に入る場合は 警察庁などの上級組織の幹部になれるわけです また 司法試験を通っていれば 裁判官 検察官 弁護士の資格を得られるという いわば選ばれた人なわけです

さっぱりわからん
紙とマジックもってきて

今わかりやすく説明しますからね!
ロンパールームのお姉さんみたいないい方すんなよ

我われが出世していくには何年もかけて一歩一歩上に上ってゆくわけです

ところがその東大を出国家試験を通ってれば…
ふつう何年もかけのぼるところを
119

わーい
一気に五合目までいってしまうわけです

それならみんな東大へ入ればいいじゃないか
ところが大学の定員というのは決まってますそうはいかないんです

勉強できる順に選び定員に達したら後は切り捨て! だから エリート選ばれた人なんです
悲惨な話だ

ところが今日 くる人はあえて 下から始めようとしてるのですよ
そこが今までのエリートとちがうすごいところなんですよ!

東大出てわしらといっしょにスタートするわけか
そうです立派な人でしょう

すべてわかった今日 くるエリートはバカなんじゃねえか

そうかアホなのかなるほど
だめだまったく感覚がちがう

部長今日新人くるんですって?
ははそうだ

本来なら
本庁勤めの
エリートが
この下町の署
そしてこの派出所に
新人としてきてくださるのだぞ
わしも署で
鼻が 高い!
本署 初まって
以来の出来事
だからな!

思えば わしも
部下では
はずれた
有能な部下は
皆無だった
よけいな
お世話ですよ!

どんな
やつなん
ですか?
法条正義という
青年だ

おそらく名の通り
規律正しい
しっかりした
二枚目の青年
だろう

そんな
勉強ばかり
してたやつなんて
頭がガチガチで
牛乳ビン
メガネで
世間しらずの
バカで
まぬけで…
先輩
おちついて
!

春の交通安

チラッ

遅いな
電話では
もう 署を
出たと
いってたの
だが……

まさか
事故でも
起こしたのじゃ
あるまいな！
ちょっと
むかえに……
部長
大丈夫
ですよ

わしが
車に
はねられても
笑ってる
くせに
まったく

いいか 中川
新入りが
きたら
ビシビシ
きたえるん
だぞ！
はあ

いくら頭よくても
こっちのが先輩だ
年功序列の
この世界を
たっぷり
味わわせて
やるぜ！
そ
そうです
ね……

きた！

キィ
無事についたかよかったよかった

どうも遅くなりまして!
やあまってたぞ!

うっ美男子! うぬっ…
天は二物を与えてますね

イメージ通りだよ法条くんさあきなさい
あれっ!?

私はつれてきただけですよ法条くんはこちらです
どうも!

き きみが東大出の…きみか…!?
はい法条正義ですよろしくお願いします

あ
あいつかよ〜〜〜〜
ズルッ
ギャップの
激しい
人ですね…

じゃ　私は
これで
失礼します
そ
そうか
ごくろう
さん……
警視庁

班長
先ほど
イメージが
どうとか…
いや…
東大出と
聞いたので
さぞかし
インテリっぽい
人物かなと
想像してた
ものでな……

私の顔は
インテリ
じゃないと
おっしゃるん
ですか？
そ
そんな事
いっとらんよ
誤解だ！

なんなら
卒業証書
みせましょ
う……
いや
けっこう
信じるよ
ガサッ

ちょっとした
誤解だよ
気を直し
なさい
おこらずに！
ね！

別に
おこってませんよ
これが
ふだんの顔
ですから
そ
そうか
そ
そうだろう
ね……ははは

そ そうだ
所員を
紹介しよう
おい
中川!
はい

中川です
よろしく
こちら
こそ!

紅一点の
麗子くんだ
今日から
よろしくね
わからない
事が
あったら
聞いてね
はい
よろしく

以上で
今日 きてる
所員は
おわり……
ちょっと
私は!
私!

そうか
おまえも
いたんだ…
これだ
ものなあ
もう!

き きみ
たしか
23歳
だよね
はい
そうです

ぶはっ
ぶひひひ
うぷぷっ
先輩
悪いです
よ!

けっこうです
顔については
冷静に
受けとめて
ますから
幼いころから
慣れてます
ので！
まあ
そんな…
この顔のおかげで
受験中はライバルが
気を抜いて　落弟
していきましたよ
しょせん
顔など頭蓋骨を
つつんでいる
筋肉です
脳細胞とは別です
ずいぶん
クールね！
肉体など
消耗品です
からね
といっても
人間　外見で
その人となりが
判断されるのが
現実社会において
多いです
だから　私は
この卒業
証書を
いつも
もっているん
です
そうだった
のか……
おまえも
顔に　あって
苦労して
るな…
そうでも
ありま
せんよ
班長
さっそく
仕事の
役割りを
お願いします
おっ
そうか
とりあえず
書類の
整理から
やって
もらおうか
はい

あっ
班長!
む?
なんだね

この字は
まちがってます
この場合は
こうです
そうか
すまん

ここも
まちがいです
正しくは
こう!
わかりますね
うむ
なるほど
あの
アンバ
ランスが
すごい……

消火器

すべて
完璧に
おわりました
!
うむ
ごくろう

じゃ
両津と
パトロールへ
いって
もらおう
えっ
私と?

ちゃんと
パトロール
管内を
教えて
あげろよ
はい
はい
いくぞ!

さすがに仕事が早いですね
まったく頼りになる所員だな
全部で120円ですよ
おうサンキュー
なんですかそれは?
みりゃわかるだろたべ物だよ
人間のたべられる物ですか?
いちいちうるさい男だなこいつ!
ポリ
ポリ
あのような店に顔を出してこそ地域住民と警察とのコミュニケーションができるのだぞ
我われ外勤はそのようなキメ細かい気配りが必要だ
わかったらきみもアンズをたべなさい
はあ

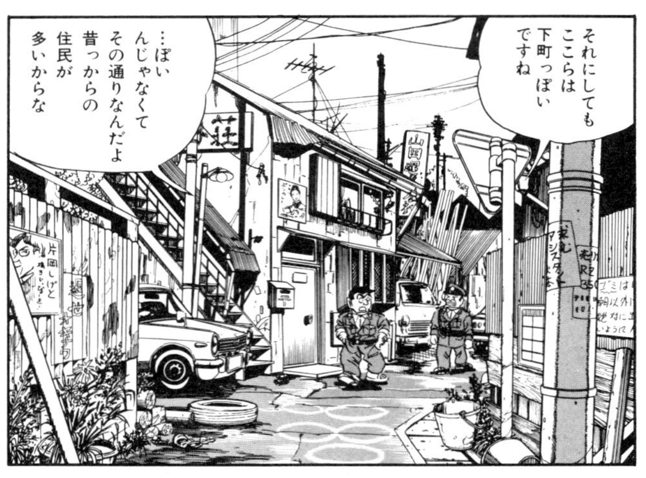
それにしても
ここらは
下町っぽい
ですね
…ぽい
んじゃなくて
その通りなんだよ
昔っからの
住民が
多いからな

しっかり
ついて　こいよ
下町の内部に
入るからな
ここも
パトロール
地域なんで
すか?

はぐれるなよ
迷子になると
生きて
帰れんぞ
おどかさ
ないで
くださいよ

ガキの時分はこういうところを走って通ったがさすがに　今じゃムリだな！
つまって出られなくなったらどうするんですか？

犯人がこんなところに逃げこんだ時の訓練になる
ちょっとまってください

なんだおまえ顔に似あわず体力のないやつだな
ぜい　ぜい
ふうちょっと休みましょう

マラリア
じゃこの茶店で小休止だ
えっいいんですか？

地域住民とのスキンシップこれもそのひとつだ

よいしょっと

いらっしゃいませ！なんにしますか？
そうだなビールでももらおうか！
おまえなんにする？

私喫茶店には入った事ないので…
本当に現代人かよ…
初心者はコーヒーでいいんじゃねえか
そうですか…

じゃコーヒー
ぬっ
ぎゃっ

バカ！ウエイトレスをおどろかすな！
べ別にそんなつもりでは……

いつもおこってるツラしてっからだよもっと笑えよ笑ってみな！
そうですかね自分じゃ全然わからないんですが……

こう
ですか?
ニヤッ
まっ
徐じょに
なっ!
毎日 笑う
訓練しろよ
そのうち
変化
するだろ!
アサヒ
スタイニー
トン
きゃあ
──っ
わははは
ねえちゃん
いいケツ
してるな!
へへへへへ
丁度いい
おまえ
あいつら
注意
してこい
えっ
私
ひとりで!?
私 本当は
弱虫なんです
力もないし
なぐられたら
こわいし……
しっかりしろ
警官だろうが!
口論や法律なら
自信あるのです
けど……
ああいうタイプは
話しあいで
納得しないし
主観的相違が…
いいから
いけ!
いたっ
いたた
もう!
まいった
なあ

ねーちゃん
こっちへ
こいよ！
へへへっ
やめなさい
きみたち！
なん
だと！
他人に
迷惑かけては
いけませんよ
うおっ
すげえ
迫力！
やるのか
てめえ！
や
やめて
くださいよ
そんな！
あ〜〜〜っ
兄貴！

やりやがったなこのやろう
やっちまえ!
ひいっ
やめてくれ!
話しあいましょうよォ〜〜っ
暴力はいけません絶対!
暴力など野蛮な事はやめてください!
うわっ
うわっ
あいつ…とんでもねえやろうだ……

★週刊少年ジャンプ1984年24号

アニメ戦国時代!?の巻
14
71

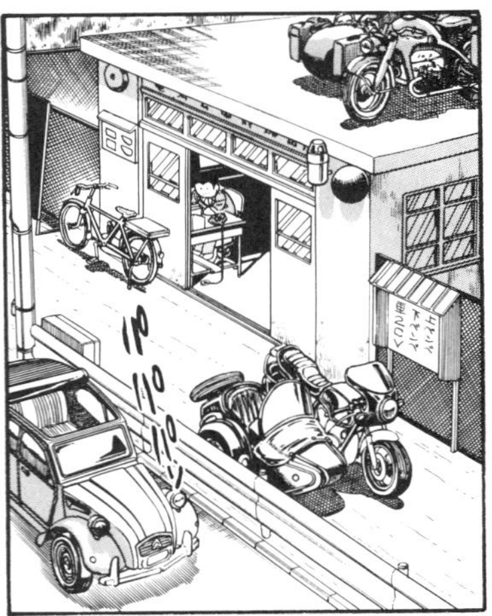

えっ
アニメ会社の
警備です
か?

ドロボウが
多発している
らしい
泊まり込みで
きてくれとの
ことだ
ザ・ガードマン
みたいだな

おい 新入り
アニメ会社の
警備やるぞ
こい!
はい

アニメって
なんですか?
ニューメディア
の一種
ですか?
つれて
こない方が
よかったかな

F16

地図によると このあたり ですね
ビルの3階と いったって ビルだらけ じゃねえか!
クラブ
スペースシャトル
山本ビルヂング
山田ビル
田中ビル
片岡医院
小林第三ビル
佐々木ビル

ぬうっ

このビルだ こい!
えっ なぜ?

今の寝不足気味の 歩き方や あのファッションは 漫画家か アニメーターの どちらかだ
一概に きめられ ませんよ

右手のサイドが 汚れてたろ あれは 濃い エンピツで 絵を かいてた 証拠だ!

なるほど 鋭い 観察力 ですね
まあな

ちなみに 服にスクリーン トーンの 切れはしや 黒インクが ついてた場合は 漫画家だ
勉強に なります!

ほら
あたった!
アニメスタジオ
ガマクジラプロ
ご用のない方は
立入禁止
ただ今、見学を
中止してますので、
おひきとり下さい。
ガマクジラプロ
大好き♡
セルを下さい
セルくれ!!
ケチ!!

ちわっ
警察ですが
………
ガダッ

どうも
おまち
していました

どうぞ
中へ
お入り
ください
ずいぶん
いっぱい
いるなあ
ドアはしずかに。
HAWAI

アニメって ひとりで かいてるん じゃないの?
ははは ご冗談を!
だって 絵を切りぬいて 手で動かしてるわけでしょう
作るのなんて 簡単じゃないすか!
ひとまず 警備の前に 我われの仕事を簡単に 説明した方が よさそうですね
まず 原画の人が 初めと終わりの 人物をきめます
ほら 新入りこいよ! おまえのために 説明してくれるぞ
それを 動画の人が 間を かいて 動くようにするのです
それを セルロイドに うつして 彩色の人が 裏から色を ぬっていきます
背景にあわせ それを 一コマずつ 撮影するわけです

それに効果音などを入れて続けてみると絵が動いて見えるのですよ

なるほど一枚ずつかくわけですかふーむ
その通りだからたくさん人数がいるのです

どうだよくわかったか新入り!
はい
ははそりゃよかった

ところでだれがその絵をうしろから動かすんですか?

酒田さんこのお巡りさんには説明してもムダですよ
これ以上簡単な説明は不可能だ……

この中で何がかっぱらわれるんですか?
おっそうそう

セル画なんです見学といつわり盗んでゆくマニアが多いのですよ!ひどいのになると絵コンテや動画机やロッカーまでもっていかれたり
ロッカーまでもっていかれて気づかない方にも問題があるんじゃないか?

一番の恐怖は来月始まる新作アニメ！このセルを盗まれたら放映ストップ
ほうどういうのやるんだ

これですよ「新銀河装甲戦士スズキ」です
新.銀河
装甲戦士
スズキ
SUZUKI
テレビ毎朝

こんなのがガキどもに受けるのか？
前作の「天ノ川14機甲師団サイトウ」が2回で終了という悲惨な結果になりましたが…今度はあたりますよ

スポンサーのおもちゃも放映同時発売ですから成功させねば
大変なんだな

あったここだここだ！
おいみんなここがスタジオだぞ
きた！両津さんお願いします

すいません全日本アニメ同好会の者ですが！
いた！あの人は演出の木沢さんだあの人は原画の山沢さん！あの人は小川さん………
ウォルトディズニーのアニメの表現法におけるフラッシャー兄弟の作品の…
きみたち見学は中止してるんだって！
機関紙「アニメ命」のインタビューを！
あの人は山沢さんであの人は…
日本のアニメ史は東映動画における…

先輩助けてください
タッチだどけ!

おまえたち今日はいそがしいんだ帰れ!
そんな事いわずにひとこと
キャスパーとガンビーくんはどちらがオバケか?

口でいってわからねえやつは体でしってもらおうか!
チャッ
ぐわっ
ひゃあーーっ
うわあーーっ

さすが!一喝ですな
あっしがいる限りアリ一匹入らしゃあしません

酒田さん警察官というより用心棒ですよ
しかしこのくらい徹底してもらわないと…

ガチャッ
おっまたきやがったか!

おうおっさんここは立ち入り禁止だ
なんだきみは!
それはこっちのセリフだぜ

いいんですよ
その人は
作監の
大前田長五郎
先生ですよ
なに!?
このおっさん
左官屋さん
か?
ちがいます
作画監督
ですよ!
警備に
きてくれた
お巡りさんです
失礼しました
まったく
失敬な!
外部か
内部の者か
服装では
さっぱり
わからんぞ
どう
しましょう
か……?

みなさん!
スタジオ入場の
際には
「山」「川」という
合言葉を
いう事に
きめましたので
お願いします
ものものしく
なって
きたなあ
YAMAHA

ほう うまいね あんた!
いやあ ボク まだ 新人 ですから
どれどれ もっと 近くで……
あっ
危(あぶ)ない そこはガラス………
ミシッ
ぎゃあ ーーっ
ガシャーン
ガッ
どう した!!
この人が ガラスを!
いたた なんで あんな所が ガラスに なっているんだ!?
アニメ用 机は 全部 ああなって ますよ

気をつけてくださいよ
あんなカラクリがあるなら先にいえよくそ!

この机もう使えませんよ!
うちは予算がギリギリで人数分しか机がないし うーむ

今日からその窓がきみの机だいいね
光は通るけど夜になったらどうするんです

外に出て逆側からかきなさい
ここは3階ですよ サーカスみたいだな

何パラパラやってんだ?
動きのタイミングをみてるんです

ほら動いてみえるでしょう
本当におもしれえ
パラパラ
ちょっとわしにもやらせてくれ!
えっお巡りさんが!

できますか
むずかしいんですよ
わりと！
大丈夫
いくぞ！
せーの

えい！
ズサ
あっ
ビリリ

ごめーん
紙がうすかったなあ……
こりゃあ！

もう
むこう
いってて
ください

悪い！
すぐ かける
でしょう
そんなの！
早く
はなれて
……

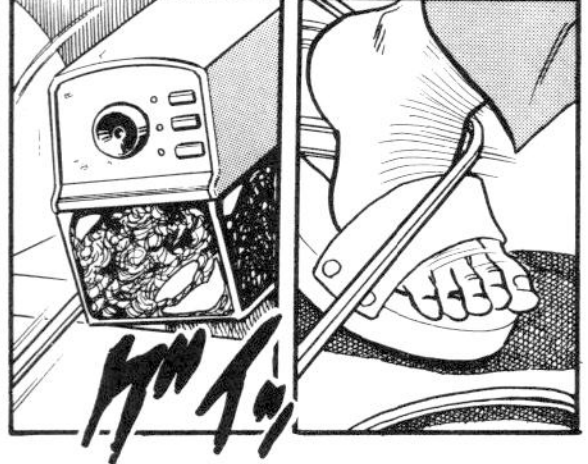

ぎゃあーーっ
ザシャ
キャラ対比表

悪い
ちょっと
足ひっかけ
ちゃって!
山形くん
ケガは
ないか…

隣りの
机を
借りるぞ
はい!
HAWAI

お巡りさん
製作の部屋へ
いきましょう
ここは
よくない
なんだよ
わしの
せいだと
いうのか!

ガラスだから
割れるんだよ
ステンレス製に
すりゃ
いいんだよ
はい　はい
こちらへ

本当に
夜やらされたり
して………

グオオオオ
あの
先輩……

なんだよ
掃除
おわったの
か?
あの…
こういうのは
捨てて
いいんですか

イタズラがきにきまってんだろ
自分で判断しろ! バカッ いちいちおこすんじゃねえ
はい すみません!

原画がなくなっているぞ!!

たしか昨日 ここにおいといたはずなのに…
あれは重要なカットだぞ もっと よくさがせ!
どうすんです 朝 清掃業者がもっていっちゃいましたよ
しっ

両津さんご存知ないですか?
そういえば夜中 なにやら物音がしていた

あの時 犯人がしのびこんでいたのか…… わしらがいたのに大胆なやつだ…
やはりとられたのか!

なにい! 原画を5カットもなくしただと!
すみません! どうしましょう

内容から5カット省く事にしよう
5カット分の60秒はラストシーンに主人公のアップの止めを 入れてもたす事にする

なんと大胆な事を!
業界用語が多くてどこがギャグになってるのかさっぱりわからん!

ガタッ
こら入っちゃいかん!

あの外注ですが…
害虫だと! そうかきさまは街のダニか
ちがいますよ! アニメーターの人です!

現在でも週40本ものアニメ番組があるでしょう とても 社内だけでは間にあわないのであのように社外のアニメーターにたのんでるのが 現状なんですよ
なるほどそういうわけか!

どうもすみませんね じゃあこれ!
はい!

アニメを
製作するのも
大変なんですね
先………
あっ
だめですよ
大切な
原画に
いたずら
しちゃ…
どうせ
チェックされて
かき直され
ちゃうよ!
自分の
かいたのが
動いたら
楽しいのにな
!
へえーっ
先輩
うまい
ですね
そ
そうか
こういうのも
かけるぞ
それからというもの
ヒマが あると
原画にいたずらがき
をしたり
キャラクターそのものを
自分で変えたり
いたずらは
警備中続いた
それを しらぬ
外注の人は
その絵のまま
動画にしてしまった
運動曲線などという
アニメの基本など
まったくしらぬ両さんの
絵は 不気味な動きで
外注の出来上り を
本来なら作画監督が
チェックするのだが…

B型のズボラさからか
ことごとく
ノーチェック
でトレスマシンへ

本来ならば ここで
間ちがいに気づくのだが
この人は 昨日入社
したばかりの新人
新人
変わった作品を始めるの
だなと思いつつも
全部 セルにコピーして
しまった

さらに 気が小さいので
有名な色指定のかの女は
おかしいと感じたが
いえずに色を決めた

これまた 一気に
彩色の外注さんに
バラまかれた
スタジオ
ユボタン
しっかりと
色をぬられ また
外部の撮影所へと
進む

ここでは 週数本もの
アニメを撮影しているので
内容をしるよしもなく
ひたすらタイムシートを
見て撮影する
この時 また
悲劇が
起きたのであった

両さんは絵だけで
なく タイムシートまで
メチャクチャに
かき直したのである
それは
常識を超えた
動きのタイミング
であった

悪い時は 続くもの
編集の人も
酔っぱらいながら
これをつないだから
大変!
世にも
おぞましい
フィルムと化し

いよいよ アニメ完成！
今日は スポンサーが
ラッシュを見にきた

おっほん
わしは
スポンサー
じゃよ
ドアはしずかに
おまちして
ました
どうぞ
こちらへ

楽しみだね
ヒット
まちがい
なしかね？
そりゃもう
では
始めます

新.銀河装甲戦士

なんとか
無事に
完成までに
いきました
ね……
ジジ…
あの
お巡りさんが
帰ったとたん
ペースが上った
からな！

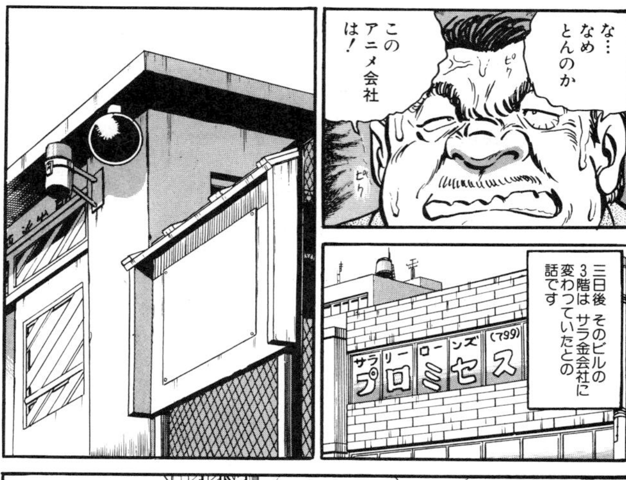

★週刊少年ジャンプ1984年25号

東京住宅事情の巻

えーと
くり上って
……
パチ
パチ

さざんが
きゅうで
また
ひとつ…
いや!
こっちが
こうで…
あれ!?

くそ!
また
まちがえ
た!
ドガッ

しまった
!

何 計算
してるん
です
借金の
計算だよ
今月は
多いからな

そうだ
人間計算尺の
法条に
やらせよう!
まだ
きて
ませんが…

あのやろう
新入所員
のくせに
毎日 遅刻
してるじゃ
ねえか

すいません
遅れて
しまって!
遅い!

おまえ
ちょっと
こい!
はい

あやまって
るのだから
……
いいから
黙ってろ
!

卒配早そう
毎日 重役出勤
とは いい根性
してるな
おまえ!
いえ
そんなに
ほめられる
ほどでも…

このやろう
皮肉を
いってんだよ
おまえに!
そ
そうでしたか
気が　つき
ませんで!

自分が
東大卒
だから
オレたちを
バカにしてる
んじゃねえか
とんでもない
そんな事
ありませんよ
!

先輩は
小学校卒で
ありながら
巡査長という
地位まで出世
するという
木下藤吉郎の
ような人間と
……
完全に
バカに
してるな

時間に
ルーズなやつは
何やっても
ルーズなんだよ
わかってんのか
おまえ
コン
はい!

何ぶんにも
通勤時間が
かかるもの
で………
どこに
住んでるん
だよ

三重県の
松阪です
ズ

そこから
通ってる
わけ?
はい
新幹線を
乗り継いで
東京まで
関西の
人間だったのか
おまえは!?

大学の四年間もずっと？
はい　せっかく国立に入っても交通費が授業料をはるかに超えてましたので大変でした
アパート借りた方が安上りでしょう
東京にひとりで住むなんて不安でこわいですよ
じゃ警官になったこれからもずっと通うの？
はい！今度は東海道線で通いますので多少　安くなります
両ちゃんかれに住むところ捜してあげれば！
え！わしが？

本人が長距離通勤を楽しんでるんだから通わせればいいだろ！
そんな事いわないで面倒みてあげてよ！
ちょうどパトロールの時間だからいっしょに不動産屋をあたってみたらどうです
ちえっ
おいついてこい！
はい

なんで おまえ
東京の
大学に
きたんだよ
教師や
親に
すすめられ
てです
地元だって
大学あんだろ
……？
ええ
あるには
あります
が……
毎年 春になると
みんな 東京の
大学にきやがって
東京の人口が
増えちまうんだぞ
その度に！
ただでさえ
いっぱい
なのに

学生ばかりじゃ
なく 芸能人や
わけのわかんねえ
職業のやつも
東京に住みつき
やがって！
おかげで
緑が どんどん
なくなって
アパート
マンション
だらけだ
おまえらの
おかげで
東京が わけの
わかんねえ町に
なっちまうん
だよ！
私に
そういわれても
困りますよ

じゃ なんで
警視庁に
くるんだよ!
有名な
大阪府警に
いくべきだろ
関西なんだから
そ
それは…

私は 江戸っ子
として
このような
状態を
だまっていられん
じつに
くやしい!
しかし
現在では
地方出身者の
方が 多いん
ですよ
東京は……

そうなんだよ
そいつらの方が
なぜか わしより
六本木や渋谷に
くわしいんだ!
上野や
浅草なら
わしの方が
勝つのだが
!

だから
本心としては
おまえを
この東京に
住まわせたく
ないっ
わかるな!
私も
それほど
住みたいと
思いませんが…

東京人口
減らし作戦に
ひとつ
いいアイデアが
あるんだ
どんな
方法です

東京大地震が
絶対おこると
マスコミがあおる
すると お盆の帰省の
ごとく みんな郷里に
帰り だれも東京など
こわがって
こなくなる
そう
ですかね?

たかい
高居不動
ココハ イイフドウサンヨ
(558)1121034(代)
あなたの家はここにある!!
家・土地
高く買います
この不動産屋をあたってみるか!

ごめんよ

これはこれはいらっしゃいまし!

家をみたいんだが!
はい はい おまちください

会員証
ここなど
いかがですか
プール付き
二億八千万円
お買い得です

こいつに
そんな家
買えると
思うのか!
よく みろ
こいつが
客だぞ!

家を
お買いに
なるんじゃ
ないんです
か?
当然だろ
アパート
だよ

なるほど
アパートね
そうかい
会員証

……で
予算は!
月
一万円
ぐらい!

できれば
2DKで
フロ付き
マンション
タイプで
ベランダ有り
ないね
だめ!

おい！もっと親身になって捜せよ！
あるはずないでしょそんな物件！

ゴーカ！賃貸マンション
4LDK
10万円
ここにあるだろこの家賃をまけて一万にしろ
ムチャいわないでくださいいよ

今時一万円のマンションなんてありませんよ
なんとかしろよ！安いところないのか！

アパートなら月千円のがありますけど……
安い！そこを案内しろ！

ちょっと遠いですよ！
変わった車だな

よほどアコギな商売しなきゃこんな車にゃ乗れん！
よけいなお世話ですよ！

DS-21
ブロロロロ…

水元の先で場所は埼玉県になるんですけどいいですか?
どこでも安けりゃいい!
高居不動産
(558)1121034

どちらかというと東京の方が……
こだわるんじゃない! 安けりゃいいんだ!

静かで環境はいいですよ

着きましたここです
カー カー
印度カレー
キイッ
高居不動産
(558)1121034
DS-21

ここ本当に人が住めるんですか？
もちろんちゃんと住人もいますよ
クアークアー

落ちついたアパートじゃないか！
幽霊が出そうですよ
カーン
カーン

どうぞ中へ！
さあいけ！

ぬう
ぎゃあーーっ

不乱建（フランケン）さんおでかけですか？
ちょっとパチンコへ！

勘弁してください！こんなところダメです!!
ぜいたくなやつだな！

ほかにないのか安いところは……？
そうですねェある事はあるんですが……

よろこべ2DKで一万円のマンションがあったぞ
それはすごいですね！

じゃさっそく契約しようぜ
え!?

なぜそんなに急ぐのですか何かあるんですか？そこ！
いや！べ…別に何もないけど

ウソです先輩は何かかくしてるいってください
いやあ…そんな大した事ないんだよ本当に！

前に住んでた住人がさちょっとガス自殺しちゃってさあたまにオバケがでるらしいんだけど！いいよなァそのくらい！

やだあーっそんなところ住めないよーーっ
ぜいたくいうな！この大都会を生きぬくにはその程度目をつぶれ！おい契約書！
はいここに…

グイグイ

よかったな望み通りのマンションがみつかって！
だれがそんなところ望みましたか！

現場へ案内しますよ
よしいこう
高居不

空室有り

この部屋です
ほうけっこう広いじゃないか！

どうだこれで一万円なら安いだろ！
本当だ！

思ったより広くていいですねこの部屋！
ゴロッ

丁度 死体も その位置に ころがって ましたよ
ほら まだ 白線が 残ってる
やっぱり ここは やだ!
まて! 一万円を 忘れるな!
今時 一万円で こんな いいところ 住めないぞ 本来なら 2畳の部屋で 共同トイレで フロは なし そこでも いいのか!?

ここで がんばって みます
それでこそ ぜいたくと 我慢に弱い 現代青年だ よく いった!
給料全部かせ 生活必需品を そろえて きてやる
じゃ お願い します

早く 帰ってきて くださいよ
OK OK

これで全部ですか!?
そうだよ これ以上 何 望む物がある!
し しかし… 冷蔵庫なども必要ですし…
あんな物いらん! 買ってきた食料はその日のうちにくう! これがひとりぐらしの大原則だ!
洗濯はどうするんです?
古来からの洗濯せっけんがある
Yシャツなら100枚は洗える! 洗剤より強力だ!
はあ
あと ハシと茶碗と大皿!
おかずはすべてこの大皿ひとつにまとめる 片づけるのや洗うのも簡単だ
この3点セットさえあればゴージャスな食生活が送れる
一番 高価な電気釜! これさえあれば何杯でもご飯が たける 大切に使えば20年間はもつ!
ゴージャスね………

あのテレビやステレオは………
そんな物十年早い！

まずは衣食住これをクリアしてからそのようなぜいたく品を考えればいい
まずは死なない程度の生活から始めろ！

せめてコーヒーくらいは………
三年早い！

水がある！
安く経済的な水だ！水をコーヒーと思って飲め

幸い これからは暖かい夏だ！シャツ パンツ Tシャツ ズボンの4点セットが あれば11月まですごせる！パンツなども最低5日間は使用しろ ズボンなどは一年に一度洗えば十分！
これらはすべてわしの実体験によるものだなせばなる

おまちどうさま
おっきた！
こっちへどんどん運んで！
はい

すごい！豪勢ですね!!
ははは
おまえの
引っ越し祝いの
プレゼントだ！
すみません
気を
使って
いただいて
！
パク
パク
パク
いやあ
なんの
なんの
ところで
さっき
あずけた
10万円の
おつりは
……？
えっ!?

これが
そうだよ
おつり全部
注文しち
まった

えーっ
あのお金
来月分の
給料ですよ
どうすん
です！

なんとか
なるよ！
あとは
野となれ
山となれだ
ムシャ
ムシャ
人の
お金だと
思って！

あれ

こいつ！
イクラや
ウニなど
高い物ばかり
くいやがって
！
私は
そんなの
ひとつも
たべて
ないですよ

こちら葛飾区亀有公園前派出所⑭（完）

★週刊少年ジャンプ1984年26号

解説エッセイ「昔はコチカメとは略さなかった」

堀井憲一郎（ライター）

電話でいきなり「コチカメ文庫の解説、お願いします」と頼まれた。
世の中、何が起こるかわからないね。だいたい、おれ、一瞬、何のことだかわからなかったんだもの。コチカメ、ああ、寿司屋のカウンターで使う、ああ、あれ、あれね、なんて思ったぐらいだ。何だよ。寿司屋のカウンターで使うコチカメって。でも、何かありそうじゃない。通だけにしか知られていない、あの、寿司のコチカメ。
そんなものはありません。
こちら葛飾区亀有公園前派出所、の解説でした。
まさか、そんな大それたものを頼まれるとは思ってないので、おれはのんきにチキンラーメンに生卵をかけるのは、お湯をかける前がいいか、後にしようか、と悩んでるところだったのだ。そんなときに、いきなり、コチカメいかがっすか、と言われても反応できないよ。いや、いかがっすか、とは言われてないんだけどね。
でもね、昔はコチカメとは略さなかった。
たとえば、コミックスの11巻のあとがきで、あの中島みゆきは『葛飾なんたら』と略してるよ。『葛飾なんたら』。すごいな。すごいっていうか、雑っていうか、1980年の中島みゆきは、とにかくそう略していたのだった。葛飾曼陀羅と言わなかっただけ、まだいいのかもしんない。
それから、13巻のあとがき。ツービートが担当している。ツービートって、だから、ビートきよしとビートたけしだ。ビートたけしって、だから、たけしだよ。そこまで説明してどうするんだ。でも、こんな説明でも、西暦2210年代の人が見たら何のことかわかんないだろうね。2210年のあなたね、こんな古い本の解説なんか読んでないで、漫画を読みなさいよ。漫画を。はい。で、ツービートは『派出所』と略してるんだよ。「そうです、ふたりは生粋の江戸っ子ですねん」とまで言ってる。たぶんギャグだと思う。
39巻で少女隊は『亀有』と言ってるのだった。
それがもう最近では、『こち亀』で統一されてるようである。アニメ化を記念してタイトルを『こち亀』に変更する、とまで描かれてるではないか。それならそれで、ちゃんと葛飾区報で知らせるとか、テレビのニュースで流すとか、官房長官談話として発表するとか、それなりの手だてを取ってもらわないと困る。何に困るかってえと、よくわかんないけど困る。とりあえず、文庫の解説書くときに困るかなあ。えへへ。笑ってる場合かよ。

解説を書くことになって、さっそくおれは、かたっぱしから読もうかと本屋に行って、ひっくり返ってしまった。コミックスが100巻を越えとるではないか。いや、噂には聞いていたが、こんなことになっていようとは思わなんだ。これはブブカもマイケル・ジョーダンもびっくりしてると思う。マザー・テレサも驚いてるかもしれない。そんな、いきなり102巻も読めましぇん。そんなこと、ここで正直に書くこたないか。でも、読めないんだもの。しかも本屋がまた102巻、きれいに揃えて売ってるんだものなあ。すごいよなあ。室町時代には考えられなかったことだ。何を言ってるのだ。

いったいいつ100巻を越えたのだよ。それは1996年の秋です。ああ、そうですか。あら、村上龍があとがき解説を書いてるよ。コミックスの解説も100人を越える人が書いていて、錚錚たるメンバーだな。大友克洋から堀江しのぶまで、ちょっと想像を絶するメンバーである。なんて、おれ、さっきからまったく解説文を書いてないな。いかんな。ちょっと、書いとくか。

いけるマンガといけないマンガを決定的に分けてしまうのは、おれは実はセリフにあると思う。セリフのテンポだ。その点、この『派出所』はすばらしく……、あ～、やめたやめた。あまり考えずに書き出しても、続きやしねえや。『派出所』はやめなさいね。『派出所』は。各人、このあとを埋めて、もっともらしい解説風の文章にしておくように。

1００巻を越え、1０００話を越え、天城峠を越え、ベーリング海峡も越えて、まだ連載が続いている、ということがすべてを物語ってると思う。それも、ああた、週刊少年ジャンプだ。ロシアの新聞と、アメリカのテレビ雑誌と、中国のにこにこパンダ通信と並ぶ世界4大発行物に延々と連載されてるんだもん。はい。あ～、4大発行物というのは、おれが今勝手にでっちあげたものなので、人前で言わないように。幼い弟とかを騙す程度にしておいてくれ。いや、でも凄まじい発行部数を誇る少年ジャンプで連載を続けるってことは、それはすごいことだ、と言ってるのだ。アメリカ大リーグで連続試合出場を記録したゲーリックやリプケンに並び称されることだと思う。ただまあ、この場合、なんだか両津勘吉が偉いんだなあ、って気がしてしまうのは不思議だねえ。すごいのは、作者の秋本治ちゃんなのに。ちゃんづけはないか。な。アキモト。これこれ。

しかし、こういう長期連載漫画を読んでいて怖いのは、主人公の年齢を読んでる自分が越えてしまう、という点だ。
たとえば『サザエさん』だって、いつも何となく自分はカツオだと思って見てるのだけど、しっかり自分の年齢を顧みるともうおれも40歳で、はるかにマスオさんの年齢を越えて、波平に一番、近いんだぜ。そう考えるとくらくらする。
『こち亀』の両さんは、おそらく30歳代後半から40歳ぐらいの設定のはずだから、おれはいまぎりぎり同年代なのだよ。まもなく年上になってしまう。ああ。まさか、おれが両さんより年上になる日が来るとは思わなかったなあ。だからって、大原部長に感情移入して読むわけにもいかんからな。だって、大原部長の奥さんはいい人だけど、でも、ぱっと見たところ男みたいなんだもん。なんて、別にいくつになっても、両さんに感情移入して読めばいいのか。いいんだよね。あなたもそうするように。言われなくてもやってますか。そうですか。はいはい。
作者の秋本氏は、毎週毎週、視点を切り替えて描くというところが、すごく楽しいんだろうなあ、とまとめて読んで、おれは思ったね。うん。ま、最後にちょっとまた、解説文ぶってみました。はい。どうでしょう。

掲載作品は集英社より刊行されたジャンプ・コミックス『こちら葛飾区亀有公園前派出所』第39巻（1986年3月）第40巻（同5月）第41巻（同7月）の中から、著者自らが精選して収録したものです。

7月新刊　大好評発売中

夢幻の如く 7〈全8巻〉
本宮ひろ志

本能寺で死んだはずの織田信長。彼は奇跡の生還を遂げ、秀吉の前に現れた！天下統一の夢を超えた信長の新たなる野望とは…!?

とっても！ラッキーマン 7・8〈全8巻〉
ガモウひろし

①②ラッキークッキーあとがきー　ガモウひろし

日本一ツイてない中学生・追手内洋一が、幸運の星から来たラッキーマンと合体すればツイてるヒーローに大変身！宇宙の悪に挑む！

こち亀文庫 17
秋本 治

各巻　巻末企画「当世流行目録」―「伊達男・看板娘評判記」

前人未到のコミックス160巻を突破した長人気作『こち亀』が再び文庫で登場！笑いと興奮、そしてなつかしネタ満載の101巻からを収録！

浅田弘幸作品集2　眠兎〈全2巻〉
浅田弘幸

あとがき　浅田弘幸

暗い過去を持つ二人の少年、空木眠兎と小泉時雨が、お互いを意識し、ぶつかり合う！　浅田弘幸が描くコミック叙情詩、待望の文庫化!!

BADだねヨシオくん！ 2〈全3巻〉
浅田弘幸

新たなライバルあらわる！そしてヨシオの父の謎に迫るバトルGP第2戦スタート!!　読切『しやわせ家族戦士プリチーバニー』も収録。

集英社文庫〈コミック版〉

ラブホリック 5〈全5巻〉

宮川匡代

③同時収録「love must go on」「in the showcase」
④同時収録「Somebody loves you」 ⑤同時収録「love must go on」

シゲルは食品メーカーで働くＯＬ。口の悪い上司・朝比奈課長には怒られてばかり。でも最近、男として意識し始め!? 新世紀オフィスラブ!

花になれっ! 9〈全9巻〉

宮城理子

①解説エッセイまんが ⑨あとがきエッセイまんが 宮城理子

地味な女子高生・ももは、ひょんな事から超イケメンな蘭丸の家で住み込みメイドをする事に。その上、蘭丸の手でキレイに変身して!?

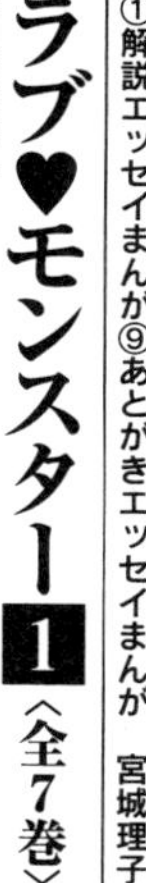

ラブ♥モンスター 1〈全7巻〉

宮城理子

①解説エッセイまんが 宮城理子

SM学園に入学したヒヨを待っていたのは、イケメン生徒会長・黒羽をはじめ、個性豊かな妖怪たちで…!? 妖怪ラブ♥ファンタジー。

谷川史子初恋読みきり選 ごきげんな日々

谷川史子

誰もが経験したことのある初めての恋…。あの日に感じた、切なくて甘酸っぱい気持ちを鮮やかに描いた、珠玉の初恋読みきり選。

谷川史子片思い作品集 外はいい天気だよ

谷川史子

あとがき 谷川史子

付き合っていても距離を感じる恋人同士…、一方通行な想いに悩む彼女など…。様々な片思いのかたちを繊細に綴った、片思い作品集。

集英社文庫〈コミック版〉既刊リスト

●秋本　治
自選こち亀コレクション
こちら葛飾区亀有公園前派出所〈全26巻〉
こちら葛飾区亀有公園前派出所ミニ〈全4巻〉
こちら葛飾区亀有公園前派出所・大入袋〈全10巻〉
秋本治傑作集〈上・中・下〉
こち亀文庫①～⑰

●浅田弘幸
浅田弘幸作品集1　蓮華
浅田弘幸作品集2　眠兎
BADだねヨシオくん！①②

●麻宮騎亜
快傑蒸気探偵団〈全8巻〉

●浅美裕子
WILD HALF〈全10巻〉

●荒木飛呂彦
魔少年ビーティー
バオー来訪者
ジョジョの奇妙な冒険①～㊿
オインゴとボインゴ兄弟大冒険

●作・三条　陸
画・稲田浩司
監修・堀井雄二
ドラゴンクエスト ダイの大冒険〈全22巻〉

●今泉伸二
空のキャンバス〈全5巻〉

●うすた京介
武士沢レシーブ

●梅澤春人
BØY〈全20巻〉

●江川達也
まじかる☆タルるートくん〈全14巻〉

●えんどコイチ
死神くん〈全8巻〉
ついでにとんちんかん〈全6巻〉

●作・真倉　翔
画・岡野　剛
地獄先生ぬ～べ～〈全20巻〉

●荻野　真
孔雀王〈全11巻〉
孔雀王―退魔聖伝―〈全7巻〉
夜叉鴉〈全6巻〉

●奥　浩哉
変〈全9巻〉

●作・写楽麿
画・小畑　健
人形草紙あやつり左近〈全3巻〉

●作・城アラキ
画・甲斐谷忍
監修・堀　賢一
ソムリエ〈全6巻〉

●かずはじめ
MIND ASSASSIN〈全3巻〉
明稜帝梧桐勢十郎〈全6巻〉
かずはじめ作品集1　遊天使
かずはじめ作品集2　Juto
かずはじめ作品集3　0-Game

●桂　正和
ウイングマン〈全7巻〉
超機動員ヴァンダー
プレゼント・フロムLEMON
電影少女〈全9巻〉

●作・鏡　丈二
画・金井たつお
ホールインワン〈全8巻〉

●ガモウひろし
とっても！ラッキーマン〈全8巻〉

●きたがわ翔
19〈NINETEEN〉〈全7巻〉
ホットマン〈全10巻〉
B.B.フィッシュ〈全9巻〉

●桐山光侍
NINKU―忍空―〈全6巻〉

●車田正美
風魔の小次郎〈全6巻〉
男坂〈上・下〉
聖闘士星矢〈全15巻〉
雷鳴のZAJI
あかね色の風

●作・寺島　優
画・小谷憲一
テニスボーイ〈全9巻〉

●許斐　剛
COOL〈全2巻〉

●佐藤　正
燃える！お兄さん〈全12巻〉

●柴田亜美
自由人HERO〈全8巻〉

●作・城アラキ
画・志水三喜郎
監修・堀　賢一
新ソムリエ 瞬のワイン〈全6巻〉

●新沢基栄
3年奇面組〈全4巻〉
ハイスクール！奇面組〈全13巻〉

●鈴木　央
ライジングインパクト〈全10巻〉

●高橋和希
遊☆戯☆王〈全22巻〉

●高橋陽一
キャプテン翼〈全21巻〉
キャプテン翼 ―ワールドユース編―〈全12巻〉
キャプテン翼 ROAD TO 2002〈全10巻〉

●高橋よしひろ
エース！〈全6巻〉
銀牙―流れ星 銀―〈全10巻〉
白い戦士ヤマト〈全14巻〉

●武井宏之
仏ゾーン〈全2巻〉

集英社文庫（コミック版）

こちら葛飾区亀有公園前派出所 14

1997年8月17日　第1刷
2009年7月31日　第5刷

定価はカバーに表示してあります。

著　者　秋本　治
発行者　太田富雄
発行所　株式会社　集英社
東京都千代田区一ツ橋2－5－10
〒101-8050
電話　03（3230）6251（編集部）
03（3230）6393（販売部）
03（3230）6080（読者係）
印　刷　図書印刷株式会社

ISBN4-08-617114-7　C0179